PAID Â BOD
OFN

I Mam

PAID Â BOD OFN

NON PARRY

Diolch i ti, Meleri, am dy gefnogaeth.

Argraffiad cyntaf: 2021

Dymuna'r cyhoeddwyr gydnabod cymorth ariannol
Cyngor Llyfrau Cymru

Lluniau'r clawr: Celf Calon
Cynllun y clawr: Tanwen Haf

Rhif Llyfr Rhyngwladol: 978 1 80099 115 6

Cyhoeddwyd, rhwymwyd ac argraffwyd yng Nghymru gan
Y Lolfa Cyf., Talybont, Ceredigion SY24 5HE
gwefan www.ylolfa.com
e-bost ylolfa@ylolfa.com
ffôn 01970 832 304
ffacs 832 782

Rhagair

Dwi'n gwybod... sneb yn fwy *gobsmacked* na fi bo fi 'di sgwennu llyfr. Dwi'n ffeindio lists yn *daunting*. Dwi hefyd yn gwerthfawrogi bod dewis darllen llyfr yn dipyn o gomitment, dewis treulio amser efo fi pan mae llwyth o bethe eraill angen eu neud o gwmpas y tŷ (peidiwch â sôn, dylech chi weld golwg yr iwtiliti rŵm... hei... peidiwch â jyjio... dwi 'di bod yn sgwennu llyfr). Wel, yn debyg iawn i 'mywyd pob dydd i, y newyddion da yw does dim trefn i'r llyfr yma. Does dim dechre, canol na diwedd, felly gewch chi fy mhigo i fyny a fy nhaflu i lawr heb golli'r plot (er bod colli'r plot yn thema eitha cryf yn y llyfr hwn, dwi'n teimlo). Hefyd, yn lwcus i chi (neu yn anlwcus), dwi'n bach o *oversharer* erbyn hyn. Falle newch chi ddarllen pethe allwch chi ddim eu hanghofio. C'mon... mae'n rhaid eich bod chi'n intrîgd rŵan (*hashtag* paidabodofn). Ond ar ôl blynyddoedd o feddwl 'well i fi beidio deud wrth bobol be sy'n mynd mlaen yn fy mhen', yn 2019 nath fy mhen ddeud, 'actiwali, well i ti neud, achos ti 'di stopio gweithio'n iawn, Non', a'r funud nesa roedd beth oedd wedi bod yn mynd ymlaen yn fy mhen i yn un o'r penawdau ar newyddion S4C! *I mean...* os ti'n mynd i fod yn agored efo pobol am y stwff ti 'di cuddio am dy iechyd meddwl ers blynyddoedd, lle gwell i ddechre nag ar y niws??!! A rŵan dwi 'di sgwennu MWY am y stwff sy'n mynd ymlaen yn fy mhen i chi gael darllen!

Dwi 'di treulio fy mywyd cyfan – o fy atgofion cynta un – yn meddwl, 'pryd dwi'n mynd i deimlo fath â pawb arall? Pryd dwi'n mynd i fod yn normal?' Ond be doeddwn i ddim yn sylweddoli tan yn ddiweddar iawn oedd bod cymaint o bobol yn teimlo yr un fath â fi. O'n i'n meddwl mai jyst fi oedd o, ond na, mae'r rhan fwya o'r blaned jyst isio teimlo'n normal, ond does dim fath beth, nagoes? Dan ni i gyd yn teimlo bod rhaid i ni pacejo'n hunain fel parseli bach perffaith, yn dwt ac yn *sorted*, ac yn hapus trwy'r amser. Peth stiwpid ydi mae'r cwest i fod yn hapus drwy'r amser yn aml iawn jyst yn neud ni'n rili anhapus. Erbyn heddiw mae disgwyl i ni i gyd fod yn ffycin briliant. Yn *masterchefs*, seicolegyddion, athrawon, *sexbombs, ironmen/women...* STOOOOOOOP!!! Mae'n grêt bod yn fwy ymwybodol o fwydydd da, i fod yn fwy *involved* efo'r plant ac i gael gôls, ond *holy shit*, dan ni'm i fod i allu neud POPETH. *Let's give ourselves a break*, ynde?

Mae o fath â'r busnes 'A serennog' 'ma yn yr ysgol dyddie hyn... Pa idiot nath infentio hwnna? 'A' ydi'r ucha... *end of...* dim 'o, a gyda llaw, uwchben y top mae top arall rŵan, *sooooo...*' SHUT UP!! Pan o'n i'n yr ysgol oedd B yn briliant a C yn OK... a be sy'n bod ar OK?

Mae o fel tasa unrhyw beth llai nag anhygoel yn fethiant dyddie yma. Mae teimlo'n OK yn ddigon.

Ac wrth gwrs, mae bywyd yn taflu *shit* aton ni i gyd bob hyn a hyn. Fath â'r sialens seiclon ar *I'm a Celebrity Get Me Out of Here*. Dyna lle ydan ni efo'n ffrindie ar waelod y slôp, yn barod i ddringo am y sêr, mae'n edrych fel laff, mae lot ohono fo yn blydi briliant ond bob hyn a hyn mae infflêtabl masif yn dod ac yn smacio ni yn y gwyneb a dan ni'n sleidio lawr y slôp ychydig eto. I fi mae bywyd fath â treiffl, lot o ddarnau bach lyfli ond ambell i lwmpyn ych a fi bysa'n well gen ti osgoi neu ei dynnu allan. Erbyn hyn dwi'n teimlo'n hyderus bod y cyflwyniad yma wedi rhoi syniad i chi sut mae'r llyfr yma'n mynd i fynd, a'ch bod chi'n deall bo fi ddim yn ddoctor, nac yn *guru* na'n arbenigwraig ar unrhyw beth ar wahân i fi fy hun, a *let's face it*, ydw i rili yn arbenigwraig arna i fy hun? Bysa'n therapydd i yn deud, 'falle ddim, Non'. A dwi'n *totally* deall bod pawb yn hollol ffed yp o glywed cyngor gan hwn, llall ac arall ar sut i reoli pob agwedd o'n bywydau. Ond, hei, cwbwl ydi hwn ydi fi'n cofio pethe dwi 'di neud, pethe dwi 'di ddysgu, difaru a charu (neu ddim). Dwi'n teimlo ein bod ni'n ffrindie rŵan beth bynnag, ie?!

Dwi 'di gwastraffu blynyddoedd yn trio bod yn fwy rhywbeth neu'n llai rhywbeth, ac yn trio cadw fyny gyda disgwyliadau bywyd A serennog. Yn lle bod yn *chuffed* gyda'r C... mae 29 o lythrennau yn yr wyddor Gymraeg – FFS mae C yn *awesome*. Mae bywyd yn gallu bod yn lyfli a llawn a syml os dach chi'n edrych ar be sy gyda chi yn lle be sydd ddim, rhoi llai o ffocws ar y *to do list* a mwy o ffocws ar y *have done*. 'Nes i ffeindio yn ddiweddar bod y *to do lists* o'n i'n meddwl oedd yn helpu pob dydd mewn gwirionedd yn neud i fi deimlo'n waeth, achos yn aml iawn do'n i ddim yn ticio popeth oddi ar y list ac o'n i'n teimlo bo fi heb neud digon pob dydd. Felly 'nes i ddechre neud *have done list*, a sgwennu lawr popeth o'n i *yn* cyflawni fel o'n i'n mynd ymlaen. Ffordd yna, ti'n sylweddoli bod ti'n cyflawni *LOADS* mwy na ti'n feddwl pob dydd, a weithie o'n i'n sgwennu lawr, 'gwisgo'… a, *yeah*, weithie mae hynna'n ddigon. Beth yw'r llyfr yma yn y bôn yw'n *have done list* rili hiiiiir i! Mae gan bob un ohonon ni *have done lists*. Dan ni i gyd wedi neud pethe anhygoel, efo ffrindie anhygoel, a wedi goroesi stwff rili anodd. Dan ni i gyd yn ddigon yn barod, fel ydan ni, heddiw.

Er mai dyma'r llyfr cynta i fi sgwennu (a bydd hynna'n dod yn fwy amlwg i chi!) dwi wedi sgwennu lot o straeon ar gyfer y teli. Creu cymeriadau, perthnasau, plot, *inciting incidents*. Ond dyma fy stori i, a rhai o'r cymeriadau a'r digwyddiadau sydd wedi siapio pwy ydw i. Fyswn i byth wedi castio fy hun fel y prif gymeriad fel arfer achos fel lot ohonon ni dwi 'rioed wedi bod yn ffan mawr o fi fy hun… sy'n rili drist, yn dydi? Achos mae'n rili bwysig licio'r prif gymeriad a ni yw prif gymeriad ein storis ni'n hunain. Mae *baddies* yn y stori yma ond mae'r *supporting cast* yn wych, ac erbyn y diwedd dwi hyd yn oed yn eitha licio'r prif gymeriad. Neu o leia dwi'n falch ohoni. Dwi'n gobeithio neith y llyfr yma eich helpu chi i sylweddoli mor sbesial yw prif gymeriad eich stori chi hefyd.

Medi 2021

Mam (Ann Parry)

Gadewch i fi jyst baentio darlun sydyn i'ch helpu chi i ddeall pa fath o ddynes oedd Mam. Yn y cwpwrdd llestri yng nghartre'r teulu yn Rhuddlan mae un plât sy'n wahanol i'r lleill. 'Dio ddim yr un patrwm na'r un seis, a phan ti'n gosod y plât bach 'ma ar y bwrdd mae o'n siglo fath â... siglen, *funnily enough*. Yn syml, mae'r plât yn *wonky*. Roedd Mam yn ffan mawr o siopau elusen ac ecs-ffatri. Wastad yn ffeindio rhywbeth bach od – cwpan *pointless* o fach, tedi sgêri, eliffant seramic yn dal fflag. Lein Mam pob tro oedd, 'o'n i'n methu gadael o yna'. A dyna nath ddigwydd efo'r plât bach 'ma. 'O'n i'n teimlo piti drosto fo.' A dyna oedd Mam yn ei neud: ffeindio pethe neu bobol oedd angen sylw neu angen eu trwsio. Dyna sut nath hi ffeindio Dad.

Roedd hi'n gweithio fel nyrs yn yr *infirmary* yn Abergele pan gafodd Dad ei frysio mewn ar ôl damwain yn y pwll glo. Roedd o'n ddu gan lwch y pwll a'i droed wedi cael ei niweidio yn ofnadwy gan drên yn cario glo. Roedd o'n amlwg ei fod mewn lot o boen ac angen sylw – mae'n rhaid bod Mam yn *THRILLED*! Y peth cynta nath Mam ddeud wrth Dad oedd, 'Look at the state of you, we'll have to sort you out, won't we?' Roedd rhaid iddyn nhw dorri cwpwl o fysedd traed Dad i ffwrdd, bechod, ac oedd o'n styc ar ward Mam am fisoedd. Mae'n debyg ei bod hi'n neud dim ond cymryd y *piss* allan ohono fo ac roedd hi'n rhannu'r *booze* a'r ffags yr oedd ffrindie Dad yn dod â nhw gyda gweddill y ward. (Gyda llaw, roedd ysbytai arfer bod yn LOADS mwy o hwyl, *am I right*?) Er hynny, nathon nhw syrthio mewn cariad, a gafodd Mam fynd â Dad a'i hanner troed adre efo hi... am byth.

Unig blentyn oedd Mam, yn byw yng nghanol nunlle yn Roman Bridge ger Dolwyddelan. Hi oedd yr unig ferch yn yr ysgol ('run ysgol ag El Bandito, ffact ffans) a'r unig beth i chware efo fo adre oedd y mochyn, ac yn aml fysa hi'n treulio orie yn eistedd efo fo (neu hi) ac yn rhannu ei phryderon i gyd efo'r mochyn. Nes iddi orfod bwyta'r mochyn... *harsh*. A chrio tan i'r mochyn nesa gyrraedd, ac yn y blaen, ac yn y blaen.

Cafodd ei mam hi ylser gwael ar ei choes, nath arwain at golli ei choes, felly gadawodd Mam yr ysgol yn ifanc iawn i helpu i ofalu amdani. Roedd Taid yn gweithio'n galed fel gwas ffarm a bysa Nain yn aml yn aros yn ei gwely yn diodde o be bysan ni rŵan, wrth gwrs, yn ei adnabod fel trawma ac iselder – nath hi guddio'n y llofft am gyfnod hir.

Felly dach chi'n cael y pictiwr nad oedd plentyndod Mam yn llawn *lolz*. Aeth hi i nyrsio a dyna oedd rili *thing* Mam trwy gydol ei bywyd. Ond y peth efo Mam hefyd, oedd hi'n eitha, 'ffyc it, dwi isio trio rhywbeth gwahanol'. (Fysa hi byth wedi deud 'ffyc', sori, Mam.) Nath hi droi hanner un tŷ yn *crèche* am rai blynyddoedd, felly, yn fy nghartre cynta, roedd yna blant bach ym mhob man. Roedd dau doilet nesa at ei gilydd yn y bathrwm – do'n i ddim yn gwybod bod hynna'n *weird* ar y pryd. Ges i 'ngeni yn y cyfnod yma a 'nhaflu mewn i'r *sandpit* gyda'r plant eraill, o be dwi'n ddeall. (Dim yn llythrennol, popeth *above board*.)

Ar ôl hynna penderfynon nhw symud i Swydd Efrog achos gwaith Dad. Dim ond blwyddyn oeddan ni yna gan bod Mam unwaith eto wedi mynd 'fuck this' ar ôl peidio setlo na chael gwaith. Be nesa? medde Ann. *Oh*, dwi'n gwybod! Siop a chaffi! *WHAT?!!!* Roedd hi'n nyrs, Dad wedi gweithio yn y pwll glo a'r chwareli drwy gydol ei fywyd, *obvious choice*!! Ond prynon nhw fecws a chaffi yn Rhuddlan a nathon ni fyw uwch ei ben o am tua pum mlynedd nes i Mam benderfynu eto, *'fuck this*, dwi isio tŷ normal' a mynd yn ôl i nyrsio.

Ar ôl i fi adael am y coleg nath hi benderfynu ei bod hi isio gwirfoddoli fel cownselydd Childline ac roedd hi absoliwtli wrth ei bodd yn neud hynna. Er, o edrych 'nôl, roedd hi'n amlwg yn cymryd lot o straeon anodd a thrist iawn i'w chalon, a dwi'n meddwl ei bod hi'n ffeindio fo'n ofnadwy o anodd i beidio gallu dod â'r plant yma adre efo hi i ofalu amdanyn nhw, fel y plât *wonky*. Oedd, roedd Mam yn *caring* ofnadwy ond doedd hi ddim yn sofft o gwbwl! Doedd hi ddim yn gadael i ni gael diwrnod ffwrdd o'r ysgol ar chware bach, no wê. 'Mae pen fi'n syrthio off, Mam.' 'Byddi di'n iawn ar ôl gwisgo.' *Get on with it!* OND os oeddan ni'n wironeddol sâl doedd hi methu neud digon i ni. Yn creu *concoctions* afiach ond effeithiol i ni yfed, yn aros yn effro drwy'r nos yn cysgu ar y llawr wrth ein hymyl a wastad yn deud, 'taswn i'n gallu chwifio *magic wand* a bod yn sâl yn dy le di 'sen i'n neud, del'.

Yn dawel bach oedd hi'n falch iawn o 'nghanu i ac yn mwynhau fy nghlywed i, ond doedd hi ddim yn un i eistedd yn y rhes flaen, wastad yn eistedd reit yn y cefn yn barod i ddiflannu cyn unrhyw ffys. Roedd Dad yn neud *mix tape CDs* o bopeth o'n i'n neud er mwyn iddi allu gwrando arnyn nhw yn y car neu cyn mynd i'r gwely. Ond doedd hi byth yn *gushing* i fi na neb arall, *in fact*, dwi'n cofio hi'n siarad yn lot mwy *enthusiastic* am ffishcêc oedd hi 'di enjoio yn Cross Foxes nag unrhyw gonsart o'n i 'di perfformio ynddo. O'n i'n gwybod bo fi heb *totally* neud llanast o berfformiad os oedd Mam yn deud, 'Ie, oedd hwnna'n OK', achos doedd hi'm yn dal 'nôl os oedd hi'n meddwl bod rhywbeth yn *shit*, ac roedd hi'n gadael i Emma a Rach wybod hefyd! Ac oedd hi'n FFYNI. RILI FFYNI. *Dryest sense of humour*, rili gallu cymryd y *piss* (yn enwedig allan o Iwan John, fy ngŵr i – oedd hynna'n bach o hobi ganddi). Roedd hi'n ofnadwy o annibynnol, doedd hi ddim yn *housewifey*, doedd hi ddim yn gwastraffu ei hamser i gyd yn neud gwaith tŷ ac ar bob diwrnod off gwaith roedd rhaid iddi adael y lle – 'os dwi'n aros yn y tŷ, 'na i fynd yn *mad*'.

'Nes i 'rioed siarad efo hi am fy iechyd meddwl i ond dwi'n wyndro a oedd hi weithie'n teimlo fel fi. Gath hi fi yn 38/39 oed, oedd ar y pryd yn cael ei gysidro yn hwyr iawn i gael plentyn (damwain o'n i, gyda llaw, ac mae pennod gyfan am hynna – dim am yr actiwal *ins and*

13

outs o sut ges i 'nghreu, fel dwi'n deud, '*no sex stories*, diolch yn fawr'). Roedd hi'n protectif ofnadwy ohona i ac o'n i'n hollol *glued* i'w hochr hi – rŵan dwi'n hŷn dwi'n eitha sicr bod hynna ddim yn iach i fi nac iddi hi. Doedd hi ddim yn gadael i Dad wylltio efo fi, doedd hi ddim yn fy mhwsio i i neud unrhyw beth allan o'n *comfort zone*. Roedd hi'n rili mwynhau mynd â fi efo hi i bob man, yn aml yn deud wrth ffrindie bo fi'n cadw hi'n ifanc. Roedd hi'n licio mynd â fi i sioeau, dim rhai West End, jyst rhai oedd yn dod i Rhyl neu i Landudno. Doedd hi byth yn mynd â fi i'r parc neu i nofio fel rhieni eraill, ond i neud pethe eitha *grown up*, dwi'n cofio, fel mêt.

Fel nyrs yn yr Alex yn Rhyl roedd hi'n gweithio ar ward geriatreg lle yn aml y bysa'r cleifion yn aros tan y diwedd. Weithie byswn i'n gorfod eistedd yn y *day room* ar ôl ysgol yn aros i Mam orffen shifft, a mwy nag unwaith bysa hi'n popio'i phen rownd y drws i ddeud bod rhywun yn marw a bod hi isio aros efo nhw.

'Mae Mr Evans ar ei ffordd o'ma, bechod. Dwi jyst isio aros efo fo a neud yn siŵr bod o'n lân ac yn ddel cyn i'r teulu weld o.'

Roedd hi'n amlwg yn rili gyfarwydd efo marwolaeth ac yn agored iawn amdano fo efo fi pob tro o'n i'n gofyn cwestiynau. Ond oedd o'n bwysig ofnadwy iddi gael gofalu am bob un tan y diwedd ac ar ôl iddyn nhw fynd. Roedd hi'n gweithio pob yn ail ddiwrnod Dolig, felly ar yr adegau hynny fysa Dad yn cael *instructions* i fynd

14

â fi yna i'r ward i ddeud 'Nadolig Llawen' ac eistedd a siarad efo rhai o'r cleifion. Ar y pryd o'n i rili jyst isio chware efo'r *ghetto blaster* o'n i newydd ei gael gan Siôn Corn, ond wrth edrych 'nôl dwi mor falch ohoni am neud hynna. Mam, dwi'n *impressed*. Roedd hi'n lyfli. Nath hi dorri'i chalon pan es i i'r coleg. Hanner awr ar ôl dreifio ffwrdd a 'ngadael i nath hi ofyn i Dad droi'r car rownd i'n nôl i. 'She'll hate being on her own.' *Obvs* nath Dad berswadio hi i weld sut fydde pethe'n mynd.

Roedd ganddi reolau oedd yn neud i fi a Nia, fy chwaer, *eye*-rolio yn aml, fel, 'mae'n rhaid i chi wisgo fest a sanau i fynd allan neu gewch chi *kidney infection*', sy'n *fine* os dach chi'n saith, ond oeddan ni'n cael hyn jyst cyn i ni fynd allan i glybio yn 17, 18 oed. *Obviously* doeddan ni ddim yn gwrando, a'r cwbwl oedd hi'n neud oedd deud, 'wel, dyna ni, *your choice*'. Roedd jyst iawn popeth doedd hi ddim yn cytuno efo fo yn arwain at *kidney infections* actiwali. Pan ges i dwll yn fy nhrwyn ei hateb hi oedd, 'wel, aros nes ti'n cael *kidney infection*, fyddi di ddim yn teimlo mor cŵl wedyn'. OBSESD efo *kidney infections*! A chware teg, jyst fel oedd hi'n gallu cymryd y *piss* roedd hi'n gallu derbyn lot o *piss take* 'nôl ganddon ni'n tri. A'r peth ydi, dan ni'n dal i gofio pob rheol, stiwpid neu beidio.

Un rheol fawr yn tŷ ni oedd ein bod ni ddim yn cael deud ein bod ni'n casáu unrhyw un nac unrhyw beth – 'mae casáu yn beth rili horibl i neud'. Gei di'r un yna, Mam, mae'n lyfli. Roedd ganddi hiwj problem efo

15

awdurdod ac roedd hi'n gwrthod teimlo'n llai nag urhyw un. Mae'n debyg ei bod hi wedi cael ffrae gan rywun eitha *high profile* yn y capel am golli gwasanaeth un dydd Sul am ei bod hi'n gofalu am ei nain oedd yn marw o gancr. A'r lein gath o gan Mam oedd, 'wel, mae'n neud mwy o sens na llyfu'ch tin chi, dwi'n meddwl'. (Roedd y boi yma'n Archdderwydd hefyd... *just sayin*.) *Zero shits given*. GWON, MAM! Roedd hi'n boblogaidd iawn efo'n ffrindie ni i gyd, achos oedd hi jyst yn derbyn pobol, dim wastad yn cytuno efo nhw ond yn eu derbyn nhw. Roedd hi'n ffrind ofnadwy o ffyddlon, roedd gofalu am y bobol roedd hi'n eu caru yn cael blaenoriaeth dros unrhyw beth arall, ac roedd ei ffrindie hi a ni yn ei charu hi mwy na bysa hi wedi gallu dychmygu, dwi'n meddwl. Roedd Ann Parry yn briliant.

Dad – Gwyn Parry

Mae dad fi'n rili cŵl. RIIIILI cŵl. Mae o'n gallu neud popeth, bildio, trwsio, canu, *first aid*, *donuts*, maths, mae'n gwybod rhywbeth bach am bopeth. Sori i adael i chi wybod fel hyn ond fi sy 'di ennill cystadleuaeth 'Dads Gorau'r Byd'. Pan mae Dad o gwmpas mae pawb a phopeth yn mynd i fod yn OK. Pan oedd Dad yn saith mlwydd oed aeth o i'r sinema i weld y *Wizard of Oz*... ar y pryd oedd ei dad o'n ofnadwy o sâl... roedd o'n löwr ac yn diodde o *pneumoconiosis*, sef haint ar yr ysgyfaint ar ôl anadlu gormod o lwch o'r pwll glo. Tra oedd o'n gwylio'r *Wizard of Oz* nath geirie'r gân 'Somewhere Over the Rainbow' gynnig gobaith i Gwyn bach. Wrth glywed y geirie 'dreams really do come true' feddyliodd o falle y bysa fo'n gallu gwella ei dad. Aeth o adre i ganu'r gân i'w dad yn gobeithio y bysa hynna'n ei neud o'n well, yn ei safio fo a gwireddu breuddwydion pawb. Ond fe fuodd o farw yn 45 mlwydd oed ac roedd Dad yn teimlo'i fod o wedi methu neud unrhyw beth yn iawn, unrhyw beth i helpu. A doedd 'Somewhere Over the Rainbow' ddim yn majic wedi'r cyfan.

Cafodd Dad ei eni yn Ffynnongroyw. Mae'n debyg fod ei chwaer fawr Gwen wedi gyrru llythyr at rywun yn gofyn os fysa fo'n bosib iddyn nhw fabwysiadu babi. Heb iddi wybod roedd fy nhaid wedi gweld y llythyr a sgwennu 'nôl ati yn deud, 'sori, mae'r babi yna wedi mynd at deulu arall ond nawn ni yrru un arall i ti'. A wedyn daeth Dad. Roedd ei dad, Gwilym, yn löwr ym mhwll glo y Parlwr Du ac roedd o hefyd yn caru canu, sgrifennu cerddi a chynganeddu. Roedd o'n cyfieithu caneuon i gantorion lleol ac roedd o'n berson ofnadwy o boblogaidd yn Ffynnongroyw.

Nathon nhw'r post-mortem ar ei dad ar fwrdd y gegin, tynnu'r ysgyfaint a'i roi mewn tun bisgits a'i yrru o ffwrdd i Lundain, neu rywle, i drio cael *compensation* i Nain. Ond doedd pwy bynnag oedd yn rhedeg y pyllau glo ar y pryd ddim yn fodlon cyfadde bai a gathon nhw ddim byd. Fe dorrodd Nain ei chalon ar ôl colli Taid – tri o blant i ofalu amdanyn nhw ac yn anffodus, Dad gafodd brynt y galar. Nath Dad dreulio blynyddoedd yn meddwl ei fod o'n niwsans, yn y ffordd ac yn siom.

Yn 16 oed aeth o i weithio yn yr un pwll glo â'i dad a nath o weithio yno am flynyddoedd, on ac off, rhwng jobs eraill di-ri rili caled i gadw'r teulu i fynd. Dwi'n cofio Dad yn dod adre o'r pwll glo un dydd yn edrych fel Capten Jack Sparrow, gydag *eyeliner* du llwch y pwll glo rownd ei lygaid. Roedd o'n hollol nacyrd y rhan fwya o'r amser. Ar ôl tyfu fyny heb dad, ac efo mam oedd yn stryglo i ddangos lot o gariad tuag ato, dwi ddim yn deall rili sut mae o wedi llwyddo i fod yn dad mor anhygoel i ni. Ond mae o. Mae o wedi gweithio fel cownselydd Childline am flynyddoedd hefyd ac wedi helpu llwyth o blant a phobol ifanc i deimlo'n well.

Nath Dad ofalu am Mam mor ofalus drwy eu priodas, neud popeth iddi tra oedd hi'n sâl a gneud unrhyw beth i'w neud hi'n hapus. Mae o wedi sbwylio fi'n rhacs ac mae Iwan wedi gorfod delio efo'r disgwyliadau uchel o'n i wedi arfer efo nhw! Mae Dad yn *handsome beyond*. Roedd ffrindie fi a 'mrawd a'n chwaer i gyd yn meddwl ei fod o mor cŵl ac yn sgêri ar yr un pryd, achos mae o'n gallu bod yn ofnadwy o protectif. Mae o wedi gadael i fi regi a smocio a bod yn mŵdi a gwirion drost y blynyddoedd a gadael i fi wireddu breuddwyd stiwpid o fod yn pop star heb unwaith ddeud, 'pryd ti'n mynd i gael job go iawn?' Mae Gwyn Parry yn *awesome*.

Fi a'r *sibs*

Ges i 'ngeni ar 19 Chwefror 1974, sy'n golygu bo fi'n perthyn i'r *Aquarius Pisces Cusp*. Mae'r *Zodiak* yn cyfeirio aton ni yn y gang yma fel 'the cusp of sensitivity', mae'n debyg. Ydw i i fewn i *star signs*? Dim o gwbwl! Ond mae hynna'n neud i fi swnio'n eitha sbesial, *am I right*? Ond mae o jyst mor typical bod neb yn gallu deud wrtha i'n bendant os ydw i'n *Pisces* neu'n *Aquarius*. Pam, Non, os dwyt ti ddim hyd yn oed yn dilyn y sêr, bod ots gen ti i ba grŵp ti'n perthyn? Aaaaaaaa, wel, gewch chi weld digon o resymau fel mae'r llyfr yn mynd yn ei flaen!! Mae 'i ba grŵp dwi'n perthyn' yn deffinet *running theme*, dwi 'di sylweddoli!

Roedd fy chwaer Nia yn ddeg pan ges i 'ngeni a Dil fy mrawd yn saith, sydd ddim yn swnio'n anarferol erbyn heddiw falle ond dwi'n cofio fi'n meddwl ei fod o'n rong. Sgileffaith cael fy ngalw'n 'ddamwain' gymaint o weithie... 'na i ymhelaethu ar hynna cyn hir! *It's a biggy* i fi! Dan ni wastad wedi bod yn agos iawn fel *siblings*, er gwaetha'r gap. Roedd Nia a Dil yn ofnadwy o oddefgar ar y cyfan, ac yn aml Nia fysa'n edrych ar fy ôl i, yn bwydo fi, gwisgo fi tra oedd Mam a Dad yn brysur yn gweithio. A'r ddau ohonyn nhw'n neud shifftiau hir, dydd a nos, nathon ni ddysgu'n ifanc iawn i ofalu amdanon ni'n hunain. (Rhywbeth, gyda llaw, dwi'n meddwl ein bod ni fel rhieni heddiw yn teimlo LOT rhy wael amdano.) 'Nes i dreulio ORIE ar fy mhen fy hun o flaen y teledu, yn helpu'n hun i frechdanau sos coch neu *salad cream* a dwi rŵan yn gallu rhedeg 5K, dwi'n neud gradd Meistr mewn seicotherapi ac mae gen i ffrindie, so tro nesa dach chi'n teimlo'n *shit* achos bod eich plant chi'n bwyta Pringles i frecwast, byth yn defnyddio'u coesau a dim ond yn siarad efo'r iPad, peidiwch â stresio. Cofiwch beth oedd eich plentyndod chi RILI fel! Oedd eich rhieni chi yn mynd â chi allan am awyr iach bob penwythnos, yn esbonio i chi sut mae'r môr yn gweithio a neud yn siŵr eich bod chi'n bwyta *5 a day* a threfnu 'play dates' efo ffrindie? Neu oeddan nhw'n gadael i chi wylio orie o *Why Don't You?* ac yn taflu Findus Crispy Pancake atoch chi bob hyn a hyn? Ecsactli. Relacs pawb.

Roedd Nia actiwali yn falch iawn ohona i a dwi'n cofio pan oedd hi yn ei harddegau, hyd yn oed, y bysa hi'n aml iawn yn gwisgo fi fyny a neud i fi berfformio *fashion shows* i'w ffrindie. Gwallt, mêc-yp y cyfan pan o'n i tua chwech oed. Mae Nia wastad wedi bod yn ridiciwlys o cŵl, *totally* mewn i ffasiwn a chanddi lygad anhygoel so oedd hynna'n freuddwyd. Cael trio dillad *ultra cutting edge* a cherdded 'nôl a mlaen fath â model efo'i ffrindie'n clapio a whoopio. (O'n i'n neud hynna yn RILI dda gyda llaw... dim ond taldra fi sy'n stopio fi fod yn *runway model* besicli.)

Un tro pan o'n i'n ddeg mlwydd oed nath hi wisgo fi fyny fath â Madonna i fynd i barti pen blwydd gwisg ffansi. Roedd 'Like a Virgin' jyst allan so o'n i MOR *CURRENT*! Mor *current* fel bod lot o'r plant ddim yn gwybod pwy na be o'n i i fod! O'n i'n *top to toe* Madonna, y legins, y *rara skirt*, bîds, *fingerless gloves*, *mole*, POPETH. Roedd gen i'r *off the shoulder T-shirt* 'ma ymlaen a dwi'n cofio un o'r plant yn deud, 'dwi'n gallu gweld fest ti'. A fi'n deud, 'mae o fod fel'na' (achos 'nes i wisgo 'ffyc iw' *attitude* Madonna hefyd).

Roedd fy mrawd i Dil hefyd yn ofnadwy o *accommodating* a byth yn deud 'clear off' wrtha i os oedd ei fêts o draw. Roedd o'n gadael iddyn nhw gymryd y *piss* wrth gwrs ond mae hynna'n normal, ac roedd o wastad yn cymryd amser i siarad unrhyw *shit* efo fi. Gafon ni real laff efo'n gilydd. Ond wrth gwrs, dwi'n siŵr bo fi'n gallu bod yn *annoying* weithie, yn cymryd mantais o ddillad a mêc-yp neis Nia heb ganiatâd, a weithie'n sefyll o flaen y teli tra oedd *Top of the Pops* ymlaen, yn dawnsio a chanu (a phan dwi'n deud 'weithie' dwi'n meddwl 'wastad'). A weithie do'n i ddim cweit yn deall bod ti ddim fod i ddeud POPETH wrth oedolion! Ddim bo fi'n 'deud arnyn nhw' ar bwrpas, doedd neb wedi rhoi'r *instructions* i fi beidio bod yn onest eto! So weithie oedd *eyerolls* a thensiwn ac o'n i'n teimlo fath â blydi niwsans! Roedd o'n teimlo fel tasa Nia a Dil yn deall ei gilydd a bo fi'n rhedeg tu ôl yn trio dal fyny.

Ond wrth edrych 'nôl oeddan nhw hefyd yn ofnadwy o amddiffynnol ohona i, yn edrych allan amdana i, ac yn bwysicach nag unrhyw beth, do'n nhw byth yn deud wrtha i i fod yn unrhyw beth ond be o'n i. Dwi'm yn gwybod faint o weithie nath Dil ffeindio fi'n cocsio bod yn Madonna yn y stafell ffrynt, ac yn mynd yn embarasd i gyd, ond nath o 'rioed gymryd y *piss*. Dwi wastad wedi teimlo'n saff i fod yn Non efo nhw, ac maen nhw wastad wedi neud i fi deimlo'n bwysig iawn. *In fact*, nath y teulu i gyd neud i fi deimlo'n bwysig. I'r teulu, 'syrpréis neis' o'n i, nid damwain, ond yn anffodus o'n i wedi dechre gwrando ar bobol tu allan i'r teulu agos yn barod.

Damwain

Dyma label ges i cyn i fi hyd yn oed gyrraedd y blaned, a dwi 'di dod i ddeall bod y label *throwaway* yma wedi bod yn gyfrifol am siapio cymaint o 'nghymeriad i. Hunan-werth neu hunan-barch yw sylfaen pob penderfyniad, pob perthynas, y math o ofal neu gariad dan ni'n ddisgwyl, sut dan ni'n gadael i bobol ein trin ni, y terfynau dan ni'n gosod i ni'n hunain. 'Ydw i'n ddigon clyfar i fod yn ddoctor? Ydw i'n dod o gefndir digon da i fod yn ddoctor? Ydw i'n ddigon *quirky* i weithio mewn ffasiwn? Ydw i'n ddigon diddorol i fynd i'r parti?' Os mai'r ateb yw 'na', wel sdim o'r pethau yna'n mynd i ddigwydd. Dan ni'n gosod terfynau a dan ni ddim yn mynd i'r parti.

Ond pwy sy'n deud 'na' wrthon ni? Pwy sy'n deud ein bod ni ddim yn ddigon *quirky*, clyfar, posh? Ni? Achos fel babis bach dy'n ni ddim yn meddwl ein bod ni ddim yn ddigon unrhyw beth. Tydan ni ddim yn meddwl dwywaith am sgrechian os ydan ni isio bwyd, cwtsh, blanced, sylw. Tydan ni ddim yn meddwl ein bod ni'n niwsans am ddeffro'n rhieni, tydan ni ddim yn teimlo'n euog bod rhywun wedi gorfod cynhesu potel, bod rhywun wedi rhoi tedi i ni afael ynddo, achos fel babis dan ni'n gyfforddus gyda'n gwerth ein hunain. Tydan ni ddim yn cwestiynu os ydan ni'n cael bod yma.

Ond yn fuan iawn dan ni'n dechre mesur ein gwerth yn ôl ymateb pobol eraill, barn pobol eraill, safonau pobol eraill, ac yn fwy aml nag y dylen ni dan ni'n credu'r 'asesiadau' allanol yma am ein gwerth. Dim ond yn weddol ddiweddar dwi wedi dysgu mai dyma wraidd lot o'r *issues* sydd gen i efo fi'n hun. Doeddwn i ddim yn *planned*, doedd Mam a Dad ddim yn cynllunio i gael plentyn arall. Roedd saith mlynedd wedi mynd heibio ers i Mam gael y babi diwetha... does dim ffordd arall rili i ddisgrifio Mam yn beichiogi efo fi ond fel 'damwain'. Actiwali, nath Mam a Dad alw fi'n syrpréis sy'n syth bin yn swnio'n well na damwain! Mae syrpréis yn lot mwy o hwyl, trît os rhywbeth! Ond damwain? Mae damwain yn rhywbeth mae pawb yn ei osgoi. Sneb isio damwain. Ond dyna oedd lot o bobol yn fy ngalw i! Dros lot o flynyddoedd yn tyfu fyny.

'*Ooooh*, dyma hi! Damwain fach y teulu.'

A dwi'n gwybod nad oeddan nhw ddim yn meddwl bod yn gas wrth ddeud hynna. Jyst rhywbeth i ddeud oedd o, *shit joke* i ddechre sgwrs. *Nothing personal*. Ond dwi wedi dod i ddeall bod fi wedi derbyn y label yma a chredu nad o'n i i fod yma. Nad o'n i i fod yn UNRHYW

LE. Ac eto, dim am un eiliad ydw i'n deud bod Mam a Dad ERIOED wedi neud i fi deimlo nad o'n i i fod yma. Ond 'nes i ddechre adnabod fy hun fel damwain, rhywbeth anffodus nath ddigwydd, ddim yn *ideal* ond yma rŵan. Ges i ddim gwahoddiad i'r parti rili. Dyma nath siapio fy hunan-werth. Dwi wedi teimlo nad o'n i rili i fod yn unrhyw stafell ers i fi gofio. A dwi dal i deimlo fel yna… ac mae o'n ofnadwy o rwystredig bo fi dal i deimlo fel yna, a dwi'n gweithio'n rili galed i newid y meddylfryd yna.

Ti'n iawn, dwi yn berson siomedig… *hang on… be?*

Heb os, mae'r label 'damwain' wedi effeithio ar fy hunan-werth yn ofnadwy ond wrth gwrs, mae pob math o bobol yn licio meddwl eu bod nhw'n gallu labelu chi o'r funud dach chi'n cyrraedd y byd 'ma. Cyn i ni gyrraedd *double figures* mae pobol wedi penderfynu beth ydan ni:

'Brêns y teulu' – ond rŵan, achos y label yma, yn teimlo pwysau annheg?

'Awkward middle child' – neu jyst 'child' hyd yn oed?

'Mae hi'n ofnadwy o swil' – jyst tawel neu falle'n orbryderus?

'Mae Twm yn ddiog iawn yn y dosbarth' – diog neu'n *bored shitless* ac yn *uninspired* gen ti, Mr Roberts?

Mae pobol wrth eu boddau yn ein categoreiddio ni a hynna cyn i ni hyd yn oed ffeindio allan be dan ni'n meddwl ydan ni. Felly dan ni'n eu credu nhw. Be ges i oedd hyn:

'Mae Non yn OFNADWY o swil', fel tasa hynna'n beth *awful*. A jyst i adael i unrhyw un sy'n licio sylwebu ar blant pobol eraill wybod, tydi deud, '*oh*, ti'n swil' ddim yn mynd i neud i unrhyw un deimlo'n fwy hyderus i siarad efo chi. Mae fy mhlant i, Jacob a Kitty druan, wedi gorfod diodde yr un anwybodaeth neu ansensitifrwydd wrth iddyn nhw dyfu fyny.

'Rhyfedd bo nhw mor swil pan dach chi fel ydach chi', a wastad yn deud hynna gydag edrychiad *puzzled* a siomedig iawn!

Yn gynta, 'pan dach chi fel ydach chi'? Sy'n golygu be? Bod Iwan a fi yn be? *Show offs*? Yn byrstio mewn i bob noson rieni gyda chân a bach o stand yp? Yn troi fyny i bob parti pen blwydd, un 'di gwisgo fcl Twm Tisian a'r llall â bocs o CDs Eden dan ei braich? A falle bod hynna'n rhagdybiaeth teg-ish... dim rili... ond, OK, *I guess*. Ond niwsfflash... dim ni ydi Jacob a Kitty. Jacob 'di Jacob a Kitty 'di Kitty. Mae gan LOT o blant anawsterau cyfathrebu, rhai am resymau sydd ddim yn amlwg, a tydi 'so ti'n siarad lot' neu 'ble mae dy dafod?' ddim yn helpu. Mae'n OK i beidio bod isio siarad weithie. Falle dylech chi gymryd 'leaf out of their book' a siarad llai neu o leia meddwl cyn siarad.

Ges i label arall yn yr ysgol uwchradd pan ddaeth hi'n amser i gael cyngor gyrfaoedd gan bennaeth y flwyddyn. Beth sydd gan y boi 'ma i gynnig tybed? Mae cymaint o bethau 'sen i'n licio bod! Sgwn i beth mae o'n meddwl yw 'nghryfderau i? Celf? Saesneg Llên? Dwi'n licio meddwl am storis. Nyrsio fel Mam falle? Rhywbeth i neud efo canu hyd yn oed? *Who knows*? Ecseiting!! Ond fel o'n i'n cerdded trwy'r drws, cyn i fi hyd yn oed eistedd i lawr, dyma fo'n deud,

'*Oh*, Non Parry... pam ti'n mynnu bod yn gymaint o siom?'

Absoliwtli DIM syniad be arall nath o ddeud achos o'n i'n hollol *deflated*. HOLLOL *gutted*. A dim achos o'n i'n teimlo ei fod o wedi bod yn gas, y peth mwya trist yw o'n i'n *gutted* achos o'n i'n meddwl ei fod o'n iawn. Athro oedd o... wrth gwrs ei fod o'n iawn, fo oedd yr oedolyn, fo oedd yr arbenigwr a'r dyfodol oedd o'n ei ragweld i fi oedd un ble fyswn i'n siomi pobol. Yn mynnu neud hynny.

Yr unig bositif oedd y gair 'mynnu'. O leia oedd hynna'n awgrymu bo fi'n rhoi ymdrech i fewn i'r siomi. Ffyc it, falle dylwn i drio'n galetach i siomi pobol, mae'n swnio fel tasa gen i dalent fan hyn. 'Nes i yn bendant stopio trio yn yr ysgol – beth oedd y pwynt? A dim hyd yn oed cambihafio, jyst diflannu. A dwi 'di edrych 'nôl ar adroddiadau ac o'n i'n neud yn OK, gwell nag OK, As a Bs a phob athro, ar wahân i'r un yma, yn deud bo fi'n aelod rili cwrtais o'r dosbarth (dyna dan ni Mams a Dads isio clywed rili, ynde?!). Ond beth sydd mor drist am beth ddywedodd yr athro hwn yw ers yr eiliad yna, dwi 'di teimlo bod pawb yn siomedig bob tro dwi'n cerdded trwy unrhyw ddrws. Dwi'n siŵr bod o ddim hyd yn oed yn cofio deud hynna. Dwi'n gwybod RŴAN bod y sylwade yna ddim yn deg, a ddim yn wir hyd yn oed, ond nath hynna siapio'n hunan-werth i mewn ffordd mor niweidiol, ac effeithio cymaint o elfennau o 'mywyd i. 'Nes i golli unrhyw hyder oedd gen i a cholli pob cyfeiriad. 'Nes i ddim anfon cais i unrhyw goleg nac ar gyfer unrhyw gwrs. Pan 'nes i basio fy arholiadau (er nad oedd ffydd gan unrhyw un, yn cynnwys fi, bo fi'n mynd i lwyddo i neud hynny), Caryl Parry Jones drefnodd le munud ola i fi yng Ngholeg y Drindod. Hyd yn oed pan es i i'r coleg o'n i'n credu bo fi ddim wedi gweithio i gyrraedd yna. Unwaith eto, do'n i ddim rili i fod yna. A nid jyst yn academaidd, neu yn hwyrach ymlaen yn fy ngwaith i, o'n i'n credu'r label 'siom', ond yn gymdeithasol hefyd, ac mae o wedi niweidio perthnasau trwy neud i fi deimlo nad oeddwn i werth sylw, na chariad, achos o'n i wastad yn mynd i fod yn 'siom'. Dwi'n siŵr i rai fod hynna'n swnio'n *over the top* ond dyna'r effaith mae sylwade *throwaway* yn gallu cael ar berson. 'Ti'n *thick*', 'ti'n hyll', 'ti'n swot', 'ti'n boring'. Mae yna rai sy'n credu mai dyna ydan nhw a dyna'r cwbwl fyddan nhw ac maen nhw'n cadw'r enwau yna am byth. Jyst i'ch atgoffa chi, nath dim un ohonon ni lanio ar y blaned yma yn meddwl ein bod ni ddim yn ddigon – pobol eraill sydd wedi neud i ni gredu hynna.

Ffenestri

Pan mae pobol yn gofyn i fi drio meddwl am fy atgofion cynhara maen nhw i gyd yn cynnwys ffenestri. Fi'n edrych allan ar y byd, neu fi ar y tu allan yn edrych ar y bobol tu fewn. Mae fy atgof cynta ohona i tu allan i'r tŷ pan o'n i tua tair blwydd oed, yn edrych i fewn ar fy mrawd a fy chwaer yn gwylio *Scooby Doo* ac isio iddyn nhw ddod i chware efo fi. Eto'n teimlo fath â niwsans, yn rhy fach a ddim yn y gang. Atgof arall rili *vivid* yw fi'n eistedd ar gefn y soffa yn stafell ffrynt y tŷ uwchben y siop yn Rhuddlan. Roedd o'n bentre bach prysur, *newsagents* a'r swyddfa bost reit gyferbyn, felly lot o fynd a dod. Pobol yn mynd o gwmpas eu busnes, yn stopio i gael sgwrs, chwerthin, codi llaw ar ei gilydd. Roedd y byd yna yn edrych yn lot o hwyl, ond ar yr un pryd yn *daunting* iawn, ac i fod yn onest ddim yn fyd o'n i'n cael bod yn rhan ohono. Ac o'n i'n teimlo'n anweledig, ac eto fel rhywun oedd ddim i fod i gael ei weld. Dwi'n meddwl mai dyma ble 'nes i greu'r llais, yn gwmni. Dwi ddim yn cofio gwahodd y ffrind bach 'ma i chware efo fi yn fy mhen ond yr unig esboniad sydd gen i yw bo fi'n unig ac yn siarad efo fi'n hun.

Mewn cyfnodau o iselder mae'n teimlo'n debyg iawn i hynna, fel taswn i'n sbio trwy'r ffenest ar y byd yn cario mlaen yn hapus, tra bo fi ar fy mhen fy hun, yn styc tu ôl i'r gwydr. Yn ystod un sesiwn therapi, nath y cownselydd ofyn i fi feddwl am atgof o 'mhlentyndod yn fy mhen a chreu pennawd i'r darlun. Y pennawd 'nes i greu oedd:

'Distraught Girl Watches Tree Being Brutally Assaulted.'
Dwi'n gwybod... cymaint o gwestiynau, *right*?!! Gadewch
i fi drio esbonio. Falle newch chi ddim deall, ac mae
hynna'n hollol ddealladwy, mae'n swnio'n nyts! *Here
goes*...

Pan o'n i tua wyth oed nathon ni symud a tu allan i
ffenest fy stafell wely newydd roedd coeden fawr, reit o
'mlaen i. Dwi'n meddwl erbyn hyn eich bod chi wedi cael
y *gist* nad oeddwn i'n blentyn hyderus yn neud ffrindie.
Plentyn oedd yn hoff iawn o sbio allan drwy ffenestri o'n
i! So yn naturiol 'nes i ddechre edrych drwy'r ffenest a
siarad efo'r goeden! Dwi'n gwybod rŵan bod *tree huggers*
a phobol fath â Prins Charles yn deud ei fod o'n beth iach
i siarad gyda byd natur, ond roedd hyn cyn bo hynna'n
trendi. Ar y pryd, oedd o jyst yn *weird*. Beth bynnag,
nathon ni ddod yn ffrindie rili da! Roedd y goeden yma'n
gwrando arna i am orie, bechod. Wastad yna, pob bore
wrth i fi ddeffro, pan o'n i'n cyrraedd adre o'r ysgol ac yn
fy ngwylio i drwy'r nos. Jyst y ffrind mwya ffyddlon. *Cut
to* un diwrnod, clywed lot o weiddi a chwerthin tu allan,
sbio trwy'r ffenest a gweld criw o hogiau yn dringo ac yn
swingio a chrafu'r goeden, tynnu ar y canghennau... jyst
HORIFFIC. O'n i'n *distraught*, isio gweiddi i gael gwared
ar yr idiots ond heb y *balls* i neud hynny, a heb y llais i
helpu'r goeden. Diolch byth, nathon nhw ddim hongian
o gwmpas yn rhy hir ond nath y digwyddiad yna rili
effeithio arna i.

Trwy'r cwrs seicoleg dwi'n dilyn dwi 'di dysgu bod

philosophers a *psychologists* enwog wedi awgrymu y dylen ni i gyd drin pob coeden, deilen a blodyn gyda'r un cariad bysan ni'n ei ddangos at berson. Falle mai fi oedd yn iawn! Ers y cyfnod clo cynta yng ngwanwyn 2020 dwi wedi cerdded lot mwy nag erioed o'r blaen, yn aml ar yr un *route*. Dwi 'di dechre neud ffrindie newydd eto ar ffurf coed, wedi dod i nabod rhai yn rili dda. Mae un yn arbennig iawn ac yn cael hyg pob tro dwi'n mynd heibio. Bydda i'n cydio ynddi hi a deud:

'Dan ni'n iawn, yn dydan?'

A mae hi'n deud, '*Yeeeeah*, byddwn ni'n *fine* heddiw.'

'Gweld ti fory, *then*.'

'Iep.'

Ond yn ôl at y ffenestri – dyddie yma dwi'n sbio trwy ffenest y gegin ac yn gallu gweld yn bell i'r pellter. Milltiroedd. Cae ar ôl cae, dim ond ambell i smotyn bach ble mae yna dŷ. Dwi wastad wedi meddwl mai be dwi'n licio am yr olygfa yna yw'r gofod heddychlon o 'mlaen i. Ond dwi weithie'n ofni mai be sy'n fy nghysuro yw bo fi'n bell o bawb ac yn anweledig eto. Mae edrych trwy'r ffenest, neu aros tu ôl i ffenest, yn lle cyfarwydd, cyfforddus, saff ond trist iawn i fi. O'r golwg, isio cuddio ond ar yr un pryd rili isio i rywun sylwi bo fi'n styc yna.

Rach

Dwi ddim rili'n cofio peidio nabod Rachael. Aethon ni i'r un ysgol gynradd ac uwchradd ac oedd y ddwy ohonon ni yn treulio lot o amser yn cystadlu mewn eisteddfodau, fi yn erbyn fy ewyllys rili, ond oedd Rach fel *pro*. Merch fach *tiiiiiny* ond yn llenwi pob stafell a llwyfan, *every stage school teacher* a showbiz mam's drîm. *Triple threat* fach *delicious*, yn gallu canu, dawnsio ac actio. Roedd Rach yn dod â'r ciwt ffactor i bob cân actol, *secret weapon* oedd yn garantîd i neud i'r gynulleidfa fynd 'ooooooooow!' Ac oedd hi'n CARU POPETH am berfformio. Erbyn ysgol uwchradd roedd Rach a fi mewn grŵp tipyn bach yn *Sidan-esque* o'r enw Papur Gwyn gyda thair merch arall, Ceri, Lowri ac Ellen. (Gyda llaw, roedd y dair arall yn clirio fyny ar y syrcit Steddfod, doedd dim pwynt cystadlu yn eu herbyn nhw – falle heb Rach a fi bysa Papur Gwyn yn dal i fynd.) Beth bynnag, roedd Papur Gwyn (enw cŵl hefyd) yn canu caneuon ysgafn (cyn bod pop yn *thing* yn yr Eisteddfod) a nid jyst canu... *oh* na... yn dawnsio 'run pryd. RADICAL. Mae'n rhaid bod Bananarama yn shitio'u hunain!! Y pwynt yw, dyma oedd grŵp cynta Rach a fi, ac erbyn y diwedd nath Emma ymuno â Papur Gwyn hefyd... jyst cyn i ni chwalu (*timing* oedd hynna, dim byd i neud efo Emma, dwi'n siŵr). Na, daeth Papur Gwyn i ben achos erbyn hynna oeddan ni'n neud ein lefel A. Nath y lleill ddefnyddio'r amser yna i astudio lot, LOT caletach na Rach a fi!!

Tra oedd Mam a Dad ar wylie un haf nath Rach a fi benderfynu ailaddurno'r bathrwm – dwi'n meddwl falle oeddan ni'n 16–17 – ac i helpu'r broses yma (a dwi dal ddim yn gwybod pam) nathon ni benderfynu, yn ystod brêc paentio, mynd i'r pentre, prynu Chinese a... *wait for it*... dyma'r bit *weird*... rentio *porn film* o'r siop fideo... yn Rhuddlan. BE?!! Doeddan ni 'rioed wedi gwylio porn, felly pam ddim gweld am beth oedd y ffys i gyd drost Chinese... AMSER CINIO?

Erbyn y Chweched roedd gan Rach fan felen fel Del Boy ond gyda phedair olwyn, ac oedd hi'n dreifio ni i bob mathe o lefydd. Roedd Rach wastad yn ofnadwy o impylsif ac isio mynd, mynd, mynd, i bob man, RŴAN! Hopio i'r car ac off â ni. Rŵan dwi'n edrych 'nôl, dwi ddim yn gwybod ble oeddan ni'n ffeindio'r amser i galafantio gymaint, yn enwedig Rach oedd wastad yn gneud tair job ar yr un pryd: gweithio fel *waitress*, mewn cartre hen bobol, a tu ôl i far. Gafodd hi job mewn clwb yn Nhywyn am 'chydig a phob nos Fercher roedd hi'n *Male Stripper Night*, ac oedd Rach yn gadael Emma a fi i fewn am ddim ac yn rhoi drincs am ddim i ni drwy'r nos, nes iddi gael y sac am neud. A rŵan dwi'n dechre sylweddoli ein bod ni'n swnio fel pyrfs, rhwng y porn a'r Chinese a'r *strip nights*.

Mae Rach wastad wedi teimlo fath â chwaer fach, a dwi ddim yn meddwl hynna mewn ffordd *patronising* am bod Rach angen fi i edrych ar ei hôl hi, achos mewn gwirionedd hi sy'n edrych ar fy ôl i! Ond dwi'n protectif iawn ohoni, yn falch ohoni a, fel mae chwiorydd, dwi'n gwybod sut i weindio hi fyny. O'n i'n ddigon breintiedig i fod efo Rach trwy enedigaeth ei phlentyn cynta, Alys (wrth gwrs, roedd rhaid i fi adael am gwpwl o orie i

ffilmio rhywbeth mewn catsiwt PVC ddu... *true story*).
A thrwy ddamwain o'n i bron iawn efo hi yn geni ei mab
Owen. Gafodd Emma a finne alwad ffôn gan Rach yn
deud ei bod hi'n meddwl bod y *contractions* wedi dechre
a'i ffeindio hi yn brefu fel llo yn y gegin a gorfod ei rhuthro
hi i'r ysbyty. Diolch byth, nath ei gŵr hi gyrraedd cyn iddi
dorri 'mraich wrth ei gwasgu yn ystod y *contractions*.
(Mae hi'n fach ond mae hi'n blydi gryf.) Ar ôl cwpwl o
sherries mae hi'n licio gludo'i hun i bobol, sydd moooor
ciwt (ac *annoying* ar yr un pryd... *GERROOOOOFFF*!).

Nath Rach golli ei thad gorjys Bryn blwyddyn cyn i fi
golli Mam ac roedd y blynyddoedd yna, tra oedd y ddau
ohonyn nhw'n sâl, ac yna yn ein gadael ni, yn gyfnod ble
nathon ni rili pwyso a gafael yn ein gilydd. Mae Rach
yn ffrind anhygoel o ffyddlon, yn hollol *nonjudgmental*.
Byswn i'n gallu deud unrhyw beth wrthi, cyfadde unrhyw
beth, a bysa hi ar fy ochr i – dwi'n eitha sicr y bysa
hi'n lladd rhywun i fi! Mae hi dal i fod fath â dol fach
biwtiffwl, digon *teeny* i sticio yn fy handbag a'i chario o
gwmpas efo fi drwy'r dydd. 'Di Rach a fi ddim byd tebyg
rili – mae hi'n daclus a threfnus, yn cofio pob pen blwydd
a wedi gorffen ei siopa Nadolig erbyn mis Medi... a dwi
jyst yn flêr *on all counts*, ond pan dwi'n trio dychmygu'r
bond rhwng efeilliaid dwi'n dychmygu'i fod o'n debyg
i sut dwi'n teimlo am Rach. Dwi methu dychmygu bod
hebddi. Fyswn i ddim yn gallu caru hi mwy.

Emma

Mae Emma a fi yn eitha tebyg rili. Dan ni'n eitha hipi dipi ac yn licio'r un llyfrau *self help*, yr un ffilmiau a'r un gerddoriaeth. Yn ein harddegau roeddan ni'n obsesio dros yr un pethe ar y teli, fath â *Vic Reeves Big Night Out* a band roc o'r enw Jellyfish. Dan ni'n dal yn ofnadwy o boring os dan ni'n *pissed* ac yn ffeindio CD Jellyfish, achos nawn ni ganu pob gair gyda chymaint o gomitment mae'n rili *annoying* i unrhyw un sydd efo ni, dwi'n siŵr. Y tro cynta i ni glapio llygaid ar ein gilydd oedd mewn ymarfer Pasiant y Plant ar gyfer Eisteddfod y Rhyl 1985. Un ar ddeg oeddan ni. Oedd o mor ecseiting cael bod mewn sioe efo plant o ysgolion eraill, ond oedd lot o jyst edrych ar ein gilydd, dim cweit yr hyder i gymysgu eto! Beth bynnag, ges i ran Donna y Ddawnswraig. O'n i'n cael gwisgo *leg warmers* a leotard, sef besicli y pethau mwya cŵl i wisgo yn yr wythdegau, so o'n i 'di ennill ar y costiwm ffrynt. Gafodd Emma ran Llywela Watkin, sef Cadeirydd Merched y Wawr. Oedd hi'n gwisgo twîd ac un o'r hetiau hen lêdis 'na sy'n edrych fel myshrwm. Nathon ni ddim siarad â'n gilydd unwaith, ond dwi'n cofio moment bach pan ddes i lawr y grisiau a gweld Emma'n eistedd yno ac am ryw reswm nathon ni wenu ar ein gilydd.

Aeth tair mlynedd heibio cyn i ni gyfarfod yn iawn. Pob nos Fawrth roedd ymarferion Côr y Glannau, sef côr lleol wedi ei sefydlu gan Gwen Parry Jones a Rhys Jones. Côr yn llawn merched o Ysgol Glan Clwyd rili, lleisiau fel angylion ond yn gallu handlo'n hunain mewn ffeit. Dwi'n gallu dychmygu y byddai ymuno â'r côr yma, a chithau o ysgol wahanol, yn brofiad eitha *intimidating*. Ond dyna nath Emma Walford. Daeth y ferch ddiarth egsotig 'ma i ymuno â ni yr holl ffordd o Ysgol y Creuddyn. Gan bo fi'n nith i Gwen fi gafodd y cyfrifoldeb o fod yn rhyw fath o *buddy* i'r ferch newydd a gafodd hi ei landio nesa ata i. Roedd hi fel mae hi rŵan, yn absoliwtli biwtiffwl – a swil – ond jyst lyfli a nathon ni jyst clicio, ac yn fuan iawn oeddan ni'n canu fel deuawd o fewn y côr.

Mae Emma'n deud ei hun bod y cymeriadau gafon ni'n castio ynddyn nhw ym Mhasiant y Plant yn *indicator* o beth oedd yn wahanol amdanon ni: o'n i 'chydig bach yn wyllt ac roedd hi 'chydig bach yn *reserved*. A dyna dwi'n meddwl oeddan ni angen yn y blynyddoedd yna i helpu'n gilydd i dyfu. Roedd Emma angen pwsh i fod 'chydig yn fwy gwyllt ac o'n i angen rhywun i stopio fi neud pethe rhy stiwpid. Oeddan ni'n balansio'n gilydd allan yn berffaith, jyst fel oeddan ni'n canu deuawdau efo'n gilydd. Oeddan ni jyst yn ffitio. Weithie o'n i'n cymryd y llais top, weithie oedd Emma'n neud (dal i neud rŵan). Metaffor o sut dan ni'n edrych ar ôl ein gilydd! 'Nes i absoliwtli syrthio mewn cariad efo hi, mewn ffordd oedd yn eitha *annoying* i ffrindie Glan Clwyd fi weithie, dwi'n siŵr! Dwi'n meddwl bod 'chydig o genfigen gan ferched Creuddyn hefyd bod y ddwy ohonon ni'n obsesd efo'n gilydd braidd! Yr un fath â pan mae ffrind yn cael cariad ac yn dropio popeth i dreulio amser efo nhw!

35

Tra oedd ein ffrindie eraill ni'n copio off a mynd allan ar y penwythnos, ro'n ni'n treulio'n amser sbar yn sgwennu sgriptiau stiwpid ac yn gneud fideos ohonon ni'n actio pob mathe o gymeriadau ridiciwlys. Gafon ni waith fel *waitresses* yn yr un pyb yn Abergele, ac oedd y cwpwl oedd yn rhedeg y lle yn cynnal nosweithie ble oedd Emma a fi yn cael canu, a pherfformio sgetsys. O hynna gafon ni bwcings i ganu mewn hotels yn Llandudno, yn canu clasuron fel 'Edelweiss' ac 'I Know Him So Well' o *Chess*. (*Class act*.) Gafon ni job fel *serving wenches* yng nghastell Rhuthun yn ystod gwylie coleg, ac os dach chi'n flin efo ni am hyd yn oed meddwl derbyn y fath swydd *degrading*, gwrandwch ar be oeddan ni'n gorfod neud – newch chi golli'ch *shit* chi!

Fel oedd y bysus llawn *revellers* yn cyrraedd, job ni oedd i dancio nhw fyny efo 'medd' – dwi dal ddim yn siŵr iawn beth yw medd ond o be dwi 'di gweld, ar ôl cwpwl o *goblets*, ti'n *shitfaced*. Ac ar ôl y *goblets* 'ma o *loudmouth soup*, tywys y *pissheads* i gyd i eistedd yn y *banquet hall*, clymu bibs o gwmpas eu gyddfe nhw, serfio bwyd tra ein bod ni'n gwrando ar lot o secsist bants crap a wedyn canu a thrio peidio dangos bod ni isio nocio allan canran eitha mawr o'r gynulleidfa. A hyn i gyd mewn dillad *medieval* ridiciwlys... yn cynnwys het. Dwi'n gwybod, dwi'n siomedig ynddon ni hefyd. Ond i unrhyw un sy'n meddwl ein bod ni heb dalu'n *dues* i gael canu ar lwyfanne mawr, wel dyma'r dystiolaeth. (A jyst i ddeud, oedd y lêdis oedd yn gweithio efo ni'n lyfli, y gynulleidfa oedd yn *annoying*. *Let's just say* mae rheswm pam 'di medd ddim rili'n *thing* dyddie 'ma.)

Beth bynnag, o'r funud nathon ni eistedd lawr wrth ymyl ein gilydd yn y practis côr yna oeddan ni'n *inseperable* braidd! Mae'r berthynas rhwng Emma a fi yn dal i fod yr un fath, dan ni'n dal i ddibynnu ar y llall i gadw'r balans. Dwi'n dal i ddibynnu ar Ems i ddeud, 'Falle bod hynna'n *too much*, Non. Wyt ti'n mynd i ddifaru?' Ac mae Emma'n dal i ddibynnu arna i i ddeud, '*Go on*, 'nei di ddim difaru. Cer amdani.' Dwi ddim yn synnu am eiliad pan mae popeth mae hi'n neud mor boblogaidd. Dwi ddim yn synnu bod y genedl wedi syrthio mewn cariad efo hi achos dyna 'nes i! Mae hi'n gorjys, yn ffyddlon, *totally nonjudgmental*, yn gallu neud i fi RILI chwerthin. Mae Emma wedi bod yn rhan enfawr o siapio pwy ydw i ac mae hi'n dal i neud.

Cola

So faint sydd gan Non i ddeud am ddiod *fizzy* brown? dwi'n clywed chi'n wyndro... wel mae o wedi safio 'mywyd i sawl gwaith ar ôl bod ar y *piss* ond na... nid y diod ond... Y BAND. Cyn Eden roedd Cola. Roeddan ni'n *thing* am jyst digon o amser iddo allu dod 'nôl i'n hauntio ni bob hyn a hyn. Roedd hi'n 1995 ac o'n i wedi graddio o'r coleg erbyn hyn a dim rili efo unrhyw gynllunie na syniad be *the heck* o'n i'n mynd i neud nesa. Dim syniad o gwbwl os dwi'n onest. Dwi'n meddwl es i i un wers nos *resit* TGAU Maths, er mwyn falle neud rhywbeth fel ymarfer dysgu, cyn i Rach ffeindio hysbyseb mewn papur lleol oedd yn chwilio am ferched oedd yn gallu canu a dawnsio rhywfaint gan y boi 'ma oedd yn trio ffurfio Take That ond grŵp o ferched. Ie, roedd hyn cyn y Spice Girls. Ni oedd gynta. Beth bynnag, nath Rach, fel oedd hi, impylsif a *fearless*, jyst mynd amdani yn syth, dragio'i chwaer Jenny efo hi, a gan mai dim ond TGAU Maths oedd gen i i edrych ymlaen ato am weddill fy mywyd ar y pryd, 'nes i benderfynu, 'gotta be better than that' a mynd i gyfarfod y boi 'ma.

Dwi ddim hyd yn oed yn meddwl ei fod o wedi gwrando arna i'n canu cyn iddo ddeud 'yep, you're in'. A dim achos o'n i'n edrych yn briliant, fel dach chi'n gweld... na... oedd y boi jyst mor desbret â ni, dwi'n meddwl. Doedd hi ddim yn hir cyn i Jenny weld y goleuni a phenderfynu nad oedd Cola iddi hi, felly roedd gap yn y band, a phwy well i lenwi'r bwlch na Emma Walford? Tasa Cola heb demtio Emma bysa hi'n *speech therapist* erbyn heddiw, dwi'n dychmygu y bysa Rach yn dawnsio yn Vegas a byswn i dal heb basio TGAU Maths. (Dwi dal heb TGAU Maths. *SCREW YOU, MATHS, who's laughing now?*) Ta waeth, gydag Emma *on board*, roedd Cola wedi ffurfio ac yn barod i ffrwydro yn bybls i gyd dros y sin pop drost y ffin, y byd ac os ddim, wel deffinetli yn Rhyl... a Phrestatyn falle.

Munud nesa oeddan ni mewn stiwdio yn Lerpwl. Dyna pryd nath y 'rheolwr' glywed fi'n canu am y tro cynta... dwi'n gwybod... *you get the picture*. Doedd gan neb syniad be oeddan ni'n neud a falle bod dim ots chwaith. Wedi deud hynna, mae'n rhaid bod gan y boi 'ma gysylltiadau achos y peth nesa dyma ni'n landio ar *This Morning*, gyda neb llai na Richard a Judy. *THE BIG TIME*. Doedd dim byd efo ni i'w werthu chwaith, doedd dim *deal* gydag unrhyw label, jyst stori bod gan rywun o label Prince ddiddordeb ynddon ni... dwi'n gwybod... mae hyd yn oed fi'n gwybod bod hynna'n *load* o bolycs ond dyna nathon ni ddeud wrth Richard a Judy a gafon ni mêcofyr allan o'r bolycs yna hefyd! Mêcofyr rili gwael gyda llaw. Lot o ddillad *shiny* arian a du, *knee-high boots* a *backcombing*. Oeddan ni'n edrych fel *sex workers* o Mars. Os mai'r brîff oedd *space hookers*, wel, nath y tîm mêcofyr NAILIO fo. Ond *who cares* am y dillad? Roeddan ni ar *This Morning*, yn y *green room* efo Fred the Weather Guy a Cilla Black.

Byswn i'n rili licio tasa gen i stori am ni a Cilla yn cael laff, yn yfed te a dyncio Bourbons ond dwi ddim yn meddwl bod Cilla yn y mŵd i siarad *shit* efo tair merch o Rhyl oedd wedi gwisgo fel bins. Un ffaith ddiddorol ddaeth o'r ymddangosiad bisâr a chelwyddog yma ar ITV yn fyw drost yr UK oedd gafon ni gyfarwyddiadau gan y *runner* i beidio â gneud gormod o *eye contact* gyda Judy. Sy'n neud cyfweliad yn rili *awkward*. Dwi ddim yn gwybod os gafodd pawb yr un *instructions* drost y blynyddoedd oedd hi'n cyflwyno'r rhaglen yna, neu falle oedd hi jyst yn rhy embarasd i edrych arnon ni yn y dillad yna? *Fair enough, Judy*.

Ar ôl hynna aethon ni am drip i Lundain i gyfarfod

â chynhyrchwyr ac i minglo mewn cwpwl o bars, sy'n swnio mor *gross*, ac oedd o'n teimlo'n *gross* ar y pryd, achos doedden nhw ddim angen i ni fod yn dalentog (*clearly*, os dach chi'n digwydd gweld clip o Cola ar *Uned Pump*, achos nath hynna ddigwydd gyda llaw). Oeddan nhw jyst isio genod oedd yn hapus i chware'r gêm a siarad *shit* efo pobol, ac er ein bod ni'n ifanc ac yn sili, doeddan ni ddim mor sili â hynna, a *surprisingly* o'n i yn gwybod bod mwy o werth i ni na hynna. Ac mae hynna gan genod oedd yn gwylio stripers ar nos Fercher wlyb yn Nhywyn os oedd dim byd gwell i neud! So daeth Cola i ben yn eitha buan, *disastrous*, ond dwi mor falch nathon ni gymryd rhan yn y *disaster* am 'chydig achos daeth y peth GORE ERIOED allan o'r *disaster* – ie, mêcofyr ar *THIS FREAKIN MORNING*!!

Eden

Wedi i Cola fynd yn fflat (lol) aeth Rach 'nôl i astudio dawns yn Lerpwl, o'n i 'nôl yn wynebu'r *thrill* o falle eistedd y TGAU Maths yna eto, a dim lot arall, a doedd gan Emma ddim byd i ailsefyll hyd yn oed, bechod, felly roedd y ddwy ohonon ni'n falch iawn o gael gwahoddiad i aros efo Caryl i helpu gyda 'chydig o babysitio. Tra oeddan ni yna mae'n rhaid ein bod ni 'di llenwi Caryl fewn efo beth ddigwyddodd i Cola, a thrwy lwc oedd hi'n paratoi i recordio cyfres deledu newydd ac yn chwilio am leisiau cefndir. So, off â ni i Gaerdydd – dwi ddim yn cofio os oeddan ni'n bwriadu aros yna'n hirach na'r cyfnod ffilmio ond dwi ddim yn meddwl ddaethon ni 'nôl i fyw adre'n y gogledd ar ôl hynna. Roedd gweithio ar y gyfres mor MOR ecseiting i Emma a finne, gweithio mewn stiwdios recordio gwahanol pob dydd bron iawn gyda cherddorion rili enwog, profiadol roeddan ni 'di bod yn eu gwylio ar y teli ers blynyddoedd: Bryn Fôn, Geraint Griffiths, Dafydd Dafis, Siân James... a Caryl Parry Jones yn dysgu'r *backing vocals* i ni. Jyst ridiciwlys o lwcus.

Roedd ffordd Caryl o weithio yn wahanol iawn i'r ffordd draddodiadol o ddysgu caneuon oeddan ni'n dwy wedi arfer efo hi. Roedd sawl cân wahanol yn cael ei recordio pob dydd a doeddan ni ddim yn gwybod y node cyn cyrraedd y stiwdio, na Caryl chwaith. Ond mae'n rhaid bod y blynyddoedd yn y côr wedi dysgu rhywbeth i ni achos oeddan ni wastad yn pigo'n llinellau i fyny yn weddol sydyn, a tydi harmonïau Caryl byth yn amlwg nac yn hawdd! A fflipin 'ec, oedd y job yma'n laff, GYMAINT o laff, gyda'r *grown ups* mwya sili, ffyni a thalentog erioed. Oeddan ni 'di landio'r job ore ERIOED.

Ar ben y sesiynau ecseiting yma yn rhoi'r traciau i lawr roedd dyddie ffilmio'r rhaglenni fel fflipin *dream come true*. Cael mynd i siopa am wisgoedd, coluro, cael ein gwalltie wedi'u torri a'u lliwio... YNG NGHAERDYDD. Mae'n rili lyfli actiwali i gofio mor gyffrous oedd o i ni fod yn sefyll yn stiwdios HTV gyda'r holl gamerâu a'r *floor manager*, a'r lêdis colur yn dod draw bob hyn a hyn i sortio ni allan. Mae'n hawdd iawn rŵan i fod yn *blasé* ar ddyddie ffilmio ar ôl bod yn neud y job cyn hired, ac anghofio pa mor *THRILLED* o'n i i sefyll yna am orie ar y tro. O'n i wedi camu mewn i'r teli, o'n i'n rhan o'r rhaglen o'n i wedi bod yn ei hastudio am orie fel hogan fach. *AMAZIIIIIIIIIING*!! Ond fel 'sa hynna ddim yn ddigon oedd pethe ar fin mynd hyd yn oed yn fwy anhygoel, *next level amazing*! Dwi'n meddwl bod un o'r gwesteion oedd i fod ar y gyfres wedi gorfod tynnu allan, a dyna pryd nath Caryl gynnig ein bod ni'n tair yn dod at ein gilydd i lenwi'r bwlch. Doedd ganddon ni ddim cân, doedd ganddon ni ddim enw. 'Dim problem,' medde Caryl, 'meddyliwch chi am enw a 'na i jyst sgwennu cân i chi.' DWI'N GWYBOD!! Mae hyd yn oed fi'n deall pa mor jami a *spoilt* oeddan ni yn yr eiliad yna!

Ac *OH MY GOD*, drost y blynyddoedd dan ni 'di bod mor lwcus a wedi cael gymaint o *adventures* efo'n gilydd. Byw efo'n gilydd am flynyddoedd... *messy*. Gweithio gyda *choreographer* ein *heroes* ni ar y pryd, Take That... anhygoel ac *excruciating*. Cuddio mewn carafán yn defnyddio Diffiniad fel *bodyguards* wrth i anti-Edens daflu'u piso'u hunain drost ein carafán ni yn Steddfod Bala 1997... jyst *weird*. Unwaith cyn ein *night out* wythnosol yn Clwb Ifor Bach gafon ni *power cut* yn y tŷ wrth i ni baratoi, panicio, a bwcio swît yn yr Angel Hotel jyst er mwyn sychu ein gwalltie ni a rhoi mêc-yp 'mlaen... *Extravagant*. Dan ni 'di priodi efo'n gilydd, cael babis efo'n gilydd, crio lot a chwerthin lot. Dan ni 'di treulio oes efo'n gilydd ac *oh, my gosh*, dan ni'n sylweddoli pa mor sbesial ydi hynna. Ac *oh my gosh*, dan ni'n CARU bod yn Eden.

Pan dwi efo'r genod dwi mooooor hapus. Dwi 'rioed wedi gorfod esbonio sut mae 'mhen i'n gweithio i Rach ac Emma. Pan dwi efo nhw, dwi 'rioed wedi teimlo ddylwn i ddim bod yna. Achos pan dwi efo nhw dwi'n saff ac yn y lle mwya naturiol yn y byd. A phan mae Eden ar y llwyfan, a dwi'n edrych bob ochr i fi, dwi dal jyst methu credu mor lwcus ydw i. Dwi yn y lle iawn.

Paid â bod ofn

Mae'n rhaid ein bod ni 'di cael hoe fach yn y cyfnod ffilmio achos dwi'n cofio yn union lle o'n i wrth glywed demo Caryl yn canu 'Paid â Bod Ofn' am y tro cynta. Roedd Emma a fi yn fy ngwely i adre yn tŷ Mam a Dad, 'chydig bach yn *hungover* ar ôl *night out*. Mae'n rhaid bod Mam wedi gweiddi bod parsel wedi cyrraedd. Off â fi i'w nôl o a rhedeg 'nôl at Emma, agor y parsel a dyna lle oedd *cassette tape* gyda 'Paid â Bod Ofn' wedi'i sgriblo arno yn llaw Caryl. WAAAAH! Off â fi i nôl y *cassette player*, ar ein gliniau yn y gwely, mewn â'r tâp, gwasgu *play*. WAAAAAAAAAA!

Y peth cynta dwi'n cofio meddwl oedd, OMG, MAE HWN YN WELL NA 'RELIGHT MY FIRE'. Yr ail beth dwi'n cofio meddwl oedd, 'MAE'R GEIRIE MOR *SAUCY*!' Achos cwbwl oedd y dair ohonon ni wedi canu amdano cyn rŵan oedd pethe fel 'Mr Sandman' a 'Pie Jesu' mewn capeli a chartrefi hen bobol. Roedd y gân yma'n deud pethe fel 'be am wneud be wnest ti i minne neithiwr? Geirie yn y gwres drwy yr orie hir'... Ydan ni'n mynd i ganu am... SECS?!!! WAAAAAAAAAAA!!!! Oeddan ni'n besicli Madonna x 3 rŵan. Doedd ffrociau Laura Ashley a miwsic 'Climb Every Mountain' ddim yn mynd i fod yn rhan o'n bywydau ni o'r eiliad yma ymlaen. R.I.P. y Non, Emma a Rachael a fu, o hyn ymlaen byddwch chi'n ein nabod ni fel... *Oh, hang on*, does dal dim enw efo ni!!

Ar y pwynt yma byswn i'n licio deud bod lot o opsiyne wedi cael eu rhoi yn yr het, ond dwi ddim yn cofio dim un arall. Falle bod yna enwau eraill a falle ei bod hi'n beth da bo fi'n methu cofio nhw! Dwi'n siŵr bod rhai crinj wedi cael eu sgriblo ar bapur. Dwi'n gobeithio ein bod ni heb fod mor ddiog neu ffwrdd-â-hi â mynd am yr enw cynta gafodd ei gynnig beth bynnag! Emma nath feddwl am yr enw Eden tra oedd hi'n gwylio'r gyfres *The House of Eliott* a dwi'n meddwl oedd hi'n licio cymeriad o'r enw Eve, a ddaru hi fynd o Eve i Efa i Eden. A dyna ni!

Rhoddodd Rach dans rwtîn at ei gilydd, aeth y ddynes wisgoedd â ni allan i siopa am ddillad oren a du... (*bold choice*... dim i Sali Mali, *I suppose*) a nathon ni neud yr un ymddangosiad yna ar raglen Caryl yn meddwl mai *one off* oedd o. Pum mlynedd ar hugain yn ddiweddarach mae'r fersiwn yna o 'Paid â Bod Ofn', nathon ni ei recordio yn weddol sydyn, yn dal i gael ei chware. A bod yn onest, tasa unrhyw syniad gyda ni y bysa pobol yn dal i chware'r gân rŵan, falle 'sen ni 'di meddwl mwy am be o'n ni'n neud ar y diwrnod recordio yna!

Caryl

Hhhhmm, lle dwi'n dechre efo Caryl? Wel yn gynta 'na i glirio fyny yn union beth yw'r berthynas rhyngddon ni – ar wahân i ffrindie gorau, partneriaid sgwennu weithie ac wrth gwrs, mae hi'n gyfrifol am brofeidio'r tiwns *awesome* i Eden. Mae hi hefyd yn gyfnither gynta i fi. Mae 'nhad i Gwyn a'i mam hi Gwen yn frawd a chwaer. Mae 'nhad i ddeg mlynedd yn iengach na mam Caryl a dwi ddeg mlynedd yn iau na'n chwaer i, felly *long story short* dyna pam mae 16 o flynyddoedd rhyngddon ni. O'n i 'chydig yn rhy ifanc i gofio hi o gwmpas y lle lot yn tyfu fyny rili, er ei bod hi'n gweithio yn ein siop ni. Dwi yn cofio hi'n gofyn i fi neud impresions eitha lot. (Ar y pryd o'n i'n tua pump a ddim yn sylweddoli ei bod hi'n neud impresions anhygoel, OK? Neu 'swn i *probably* 'rioed wedi atemptio nhw… crinj, Non… *in my defence* hi oedd yn gofyn.)

Nath o gymryd amser i fi sylweddoli mai'r siwperstar Caryl Parry Jones oedd hi. Fel dwi wedi sôn, o'n i'n OBSESD gyda cherddoriaeth pop. O'n i'n recordio orie o adloniant cerddorol, bocsys a bocsys o *VHSs* o berfformwyr fel Madonna, Janet Jackson, Whitney Houston a Kylie, ac o'n i'n eu hastudio nhw am ORIE. Rhywun arall ar y list o'n i'n obsesd efo hi oedd Caryl… ac mae hynna'n swnio ychydig bach yn crîpi rŵan, yn tydi? Ond bysa fo'n fwy crîpi taswn i ddim yn perthyn iddi, dwi'n meddwl... yn bysa? Jyst dieithryn sydd wedi ei haddoli hi fel plentyn, a wedyn cael job fath â *backing vocalist* iddi, a wedyn neud iddi sgwennu caneuon i fi a gweithio efo fi am byth, a neud iddi fod yn ffrind gore i fi? Falle'i fod o'n swnio'n crîpi pa bynnag ffordd ti'n edrych ar y sefyllfa! Ond y sefyllfa oedd bo fi wedi treulio lot fawr iawn o amser yn gwylio'i rhaglenni teledu hi, a'r fideos cŵl, a'r gwallt a'r dillad *awesome*, ac wrth gwrs y ffordd oedd hi'n canu. O'n i'n megaffan oedd hefyd weithie yn cael mynd ar fy ngwylie ysgol i'w thŷ hi! OK... Dwi'n dechre teimlo fel *weirdo* rŵan!! Ond oedd o'n amhosib i beidio bod yn ffan, ac isio bod fel hi – oeddan ni i gyd isio bod fel hi, oeddan ni i gyd yn caru CPJ! Dwi jyst wedi bod yn ddigon lwcus i gael *access* iddi, oedd rhaid i ni nabod ein gilydd!

Mae'n anodd peidio bod *in awe* o bopeth mae Caryl wedi'i neud, a'r talent absoliwtli diddiwedd sydd ganddi. Ac mae hi'n ridiciwlysli hael gyda'r talent yna; er enghraifft, dwi ddim yn meddwl y byswn i mor *chilled* am sgwennu anthem fath â 'Gorwedd gyda'i Nerth' a wedyn rhoi'r gân i rywun arall i'w chadw a'i pherfformio am byth. 'Sen i 'di cadw'r un yna, sdim dwywaith am hynna! Sgwennwch blydi anthem eich hunain, *innit*?! Ond mae hi hefyd wedi rhoi GYMAINT o gyfleoedd i fi: canu, sgriptio, actio, ac mae hi'n bigio fi fyny LOT. Dwi 'di sgriptio pethe efo Caryl bysa hi'n hawdd wedi gallu neud ar ei phen ei hun a dwi'n gwybod bysa hi'n anghytuno a'i bod hi'n mwynhau sut dan ni'n gweithio gyda'n gilydd, ond mae hi wedi neud yr un peth efo lot o bobol drost y blynyddoedd achos does dim *ego* gyda hi ac mae'n mwynhau gweld pobol eraill yn llwyddo.

Caryl ydi'n 999 personol i. Unrhyw bryd mae'r *shit* wedi hitio'r ffan Caryl sy'n cael yr alwad gynta... druan â hi achos mae'r *shit* yn hitio ffans yn aml efo fi. Mae hi wedi helpu i glirio lot o *shit* oddi ar lot o ffans drost y blynyddoedd. Mae hi hefyd yn neud gwlâu RILI *cosy* i fi pan dwi'n mynd draw i aros, ac yn neud majic drinc i fi os dwi'n teimlo'n sâl ac yn prynu presantau i fi am ddim rheswm o gwbwl. *All in all* mae Caryl Parry Jones wedi sbwylio fi'n rhacs drost y blynyddoedd a dwi mor lwcus a balch ein bod ni yn yr un *gene pool* ac yn styc efo'n gilydd. Chi'n gwybod y dywediad, 'you can't choose your family'? Wel, dudwch tasa hynna'n opsiwn, byswn i *TOTALLY* wedi ei dewis hi.

A *sidenote* bach, diolch Caryl a Myf am greu y plant anhygoel yna: Els, Mir, Moc, Greta (iep a ti, Gid... Pfft... *as if* bo Gid yn mynd i ddarllen hwn!). Dwi'n OBSESD efo pob un ohonyn nhw. Dach chi wedi prodiwsio grŵp bach o fy ffrindie gore mwya sbesial ERIOED. Dwi'n caru pawb yn Caeheulog 'chydig bach gormod.

Canu

Dwi wastad wedi caru teimlad canu. Pan o'n i'n hogan fach fach o'n i'n obsesd efo Judy Garland a'r *Wizard of Oz* ac yn caru trio neud yr un *vibrato* â hi – oedd o jyst yn teimlo'n rili neis! A wedyn recordio'r Top 40 pob pnawn dydd Sul a ffeindio Whitney Houston a jyst caru trio dysgu'r wigls oedd hi'n neud efo'i llais. (Dwi'n meddwl bod cantorion go iawn yn eu galw nhw'n *vocal runs* neu riffs, ond i'r ferch fach yn byw uwchben caffi yn Rhuddlan, wigls oeddan nhw.) O'n i'n rili mwynhau chware efo llais fi jyst fath â mae pobol yn chware gêm fel Tetris neu'n neud jig-so, jyst trio ffitio nodau wigli Whitney i gyd yn y lle iawn. Weithie ti'n neud o'n rong... *rewind*... trio eto... na... bron yna... *rewind* eto... *NAILED IT*! *You completed the challenge*, math o beth. Ond dwi ddim yn meddwl 'swn i wedi canu'n gyhoeddus heblaw bo ffasiwn beth â Steddfod a bo fi'n perthyn i Gwen Parry Jones a Rhys Jones (mam a tad Caryl).

Roedd Anti Gwen hefyd yn athrawes yn Ysgol Dewi Sant y Rhyl tra o'n i yna, felly doedd dim dianc pan oedd hi'n amser i ddechre dysgu'r darnau gosod ar gyfer yr Urdd. Roedd Gwen *ON IT and on my case*! O'n i'n trio peidio pob blwyddyn ond chware teg, oedd gan Gwen ffordd o'i neud o'n amhosib i fi beidio cystadlu. Roedd hi'n rhy ciwt, 'wrth gwrs bo ti, mae llais blydi *wonderful* gen ti... *if you could only smile a bit*'. Chware teg, oedd hi'n gwybod bod cerdd dant yn un *ask* yn ormod a dwi'm yn meddwl mai cerdd dant oedd *vibe* Gwen chwaith, ond yn flynyddol o'n i'n trio'r unawd, deuawd, parti unsain, parti deulais, côr a'r gân actol. Côr, *fine*, partis, hawdd, cân actol, oedd owtffits yn *involved* so o'n i *all over* hynna.

Mam yng Nghlafdy Abergele ble gwrddodd hi â Dad.

Mam yn edrych yn biwtiffwl wrth weithio yn Ysbyty Abergele.

Dil, Nia a 'syrpréis' y teulu. (Fi, dim y cŵn bach.)

Nia, Dil a fi!

Fi yn trio cadw'n ffit yn 1975.

O'n i wastad isio bod yn fam, ond 'nes i 'rioed orfod gweiddi 'SGIDIAU' ar y doliau yma – yn wahanol i fywyd go iawn.

Fi a'n chwaer, Nia, a 'mrawd, Dil, yn 1975. Dwi 'rioed 'di bod yn *thrill seeker*.

Tawel, swil ac yn teimlo fel *weirdo* hyd yn oed yn ysgol Dewi Sant y Rhyl!

Y Ddawns Flodau, Eisteddfod y Rhyl, 1985.

Wastad wedi licio gwisgo fyny.

Fi fel Donna y ddawnswraig ym Mhasiant y Plant, Eisteddfod y Rhyl, 1985.

Eisteddfod arall!! (Roedd Rach WASTAD yn cael dal y cwpan.)

Côr y Glannau.

Rhys Jones a Gwen Parry Jones – Anti Gwen ac Yncl Rhys.

Mam a fi.

Emma a fi pan oeddan ni'n canu mewn priodasau (dim ond rhwng caneuon oeddan ni'n gwenu mae'n debyg).

Emma, fy siaced achub i ers 1987.

Emma a fi.

Emma a fi tua 16 oed. Mae hi wedi bod yn fy stopio i rhag mynd dros ben llestri ers yr 80au.

Rach a fi tua 16 oed ac yn barod i fynd i glybio… credwch neu beidio… yn debycach i rywbeth o *Chess* ond dyna ni…

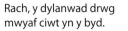
Rach – 'swn i'n gallu ei chadw hi yn fy mhoced.

Rach, y dylanwad drwg mwyaf ciwt yn y byd.

Roedd Rachael, Emma a fi wedi symud tŷ efo'n gilydd am y trydydd tro erbyn '98. LLANAST pob tro.

Dim pawb sy'n
syrthio mewn cariad
efo wyneb fel yna!
Hotel Eddie.

Dysgu bod yn llysfam
i Meg a Tomos… Mae
Tomos yn licio fi rŵan.

Fi a fy llysblant, Meg a
Tomos, 1999.

Priodas Iwan a fi yng Ngwesty Miskin Manor ger Caerdydd yn 2000.

Y ddawns gyntaf... efo Meg.

Mam a fi.

Dad a fi.

Wyneb rhywun sydd wedi treulio DYDDIAU yn trio cael y babi yna allan.

Wil John Williams wedi cyrraedd, 2001.

Iwan a Wil. Mae Iwan wastad wedi bod yn rili dda efo babis, er ei fod o'n deud eu bod nhw'n boring.

Jacob Gwyn a fi. Ers dwi'n cofio, o'n i isio cario babis o gwmpas fel yma!

Roedd gen i blant AC Iwan i ofalu amdanyn nhw.

Kitty Wyn yn y Special Care Baby Unit (SCBU) yn Ysbyty Glangwili.

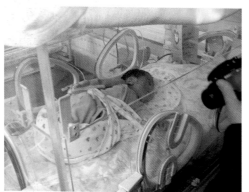

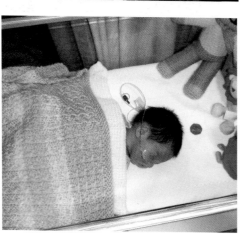

Fe gyrhaeddodd Kitty Wyn ddau fis yn gynnar – roedd hi'n pwyso jyst o dan bedwar pwys.

Iwan, fi... a PHUMP o blant!

Mae gen i BUMP o blant! BEEEEEE?!!!!

Craith Kitty.

Steff – ffrind gore, brawd bach, gŵr lleisiau cefndir a'r idiot mwyaf briliant dwi'n nabod.

Mae pob stafell angen Steff.

Steff. Dwi'n ei garu fo gymaint mae ei aren yn byw efo fi rŵan.

DIGON gyda
Non Parry

Recordio fy mhodlediad, 'Digon'.

Dydi Dad dal heb ofyn i fi dyfu fyny a ffeindio job go iawn. CARU ti, Dad.

Cyfnither, ffrind gore a fy llinell 999 bersonol, Caryl Parry Jones.

Caryl druan wedi blino ar ôl oes o fy sortio i allan.

Er ei bod hi'n CASÁU baw, fe gytunodd Rachael i fynd i Glastonbury efo fi!

Emma a fi am byth…

Methu cweit credu bo fi'n ddigon lwcus i ddal i gael chwarae efo fy ffrindie gore i.

Eden yn diddanu'r gynulleidfa yn Gig y Pafiliwn yn Eisteddfod Llanrwst, 2019.

hawlfraint: EGC / Aled Llywelyn

hawlfraint: EGC / Celf Calon

Fy hoff goeden ac un o fy ffrindie gore! Hygiwch goeden, mae'n lyfli!

Nadolig yn Tŷ Ni.

Ond y deuawdau a'r unawdau? *TERRIFYING*. Doedd gen i ddim owns o deimladau cystadleuol felly doedd dim ots gen i os o'n i'n cael llwyfan neu beidio, ond yn anffodus o'n i fel arfer yn ddigon da (yn y Cylch a'r Sir, dim ond unwaith yn y Genedlaethol). Doeddwn i byth yn ennill achos y cwbwl oedd gen i oedd llais OK, dim lliwio, dim gwenu, jyst cerdded mlaen, canu fel 'sa gwn yn pointio at fy mhen a cherdded off eto. A do'n i ddim yn briliant am sticio at y rheolau. O'n i'n trio a Duw a ŵyr fod Gwen 'di trio drymio nhw i fewn i 'mhen i, bechod. Ond cyn gynted ag o'n i'n gweld beirniad gyda'i gopis, yn sbio arna i'n canu dros ei sbectols, oedd hi'n *game over*. Er bo fi'n ofnadwy o ansicr fel plentyn mi oedd 'na elfen fawr o 'paid â deud wrtha i be i neud a sut i neud pethe' yndda i (a dal i fod, medde Dad ac Iwan). Dwi ddim yn briliant efo rheolau! Fel hyn mae'n meddwl i'n mynd,

'*Oh*... dach chi'n deud bod RHAID neud o fel hyn? Ieeeeeee... dwi'n mynd i neud o fel hyn, *though*.'

OND dwi'n ofnadwy o ddiolchgar bo fi wedi cael y ddisgyblaeth yna. Gorfod codi am 5 y bore, gwisgo iwnifforn ar ddydd Sadwrn a chanu mewn stafell oer o flaen panel o bobol eitha blin yr olwg (yn fy mhen i beth bynnag). Mae cystadlu yn Steddfod yr Urdd fath â ymuno â byddin i leisiau bach, neu *SAS: Who Dares Wins*. Orie o drênio,

'Na, na, NA! Ti'n anadlu yn y lle anghywir! ETO. O'r DECHRE!'

Crwydro trwy gaeau diarth, yn y glaw neu mewn haul

chwilboeth. Outpsychio'r gelyn (i fi Ysgol Twm o'r Nant). Cymryd y feirniadaeth,

'Llais swynol ond BLE AETH Y GEIRIO, NON???? BLEEEEEEE?????'

Ond oeddan ni'n rhoi'r gorau iddi? *Ooooooh* na, roeddan ni'n neud o i gyd eto'r flwyddyn wedyn. Be dwi'n licio am Steddfod yr Urdd ydi, ti'm yn cael pobol yn gyshio drost y cystadleuwyr fel maen nhw'n neud ar *Britain's Got Talent* a'r *X Factor*. 'Di'r Urdd ddim yn inffletio *egos* pawb sy'n cymryd rhan. Mae'n rhoi jyst digon o glod i blant a phobol ifanc sydd wedi gweithio'n RILI blydi galed am fisoedd i gyrraedd yna. Tydi'n *child stars* ni ddim yn troi allan fath â *car crashes* gwledydd eraill achos mae Mr Urdd yn neud yn siŵr eu bod nhw'n gwybod bod gwaith caled yn dod law yn llaw â llwyddiant! *Respect*, Mr Urdd.

Mae gen i gymaint i ddiolch i Gwen a Rhys amdano, am fy nysgu i ac am fy annog i i ganu o flaen pobol! A gyda llaw, doeddan nhw ddim yn strict O GWBWL. Roeddan nhw'n gwd laff a dwi'n nabod CANNOEDD o bobol nathon nhw ddysgu fysa'n deud yr un peth. Oeddan nhw'n ciwio i gael gwersi gan y drîm tîm o Brestatyn. *Legends of the game* ac mae cofio 'nôl at y practisys yn eu stafell biano nhw yn neud i fi wenu a chwerthin LOT. Dim pawb oedd mor lwcus â chael y *stand up comedian* gore EVER, Rhys Jones, yn neud i chi lolio drwy'r amser tra'i fod o'n cyfeilio. Siriysli... *what a guy*! Ac oedd Gwen yn *SPOT ON* am y gwenu. Dan ni dal hyd at heddiw yn gwylio'n hunain 'nôl yn perfformio fel Eden ac yn meddwl, 'bysa Gwen yn *livid*'.

'Christ... come on, girls, smile... think of your boyfriends or something.' Gwen Parry Jones 1989 (*true story*).

Am flynyddoedd do'n i ddim rili yn gadael i'n hun fwynhau canu achos mae pawb yn y teulu wastad wedi canu ac yn lot gwell na fi, felly doedd o ddim yn teimlo'n sbesial, jyst rhywbeth dan ni'n neud, fath â cherdded neu siarad. Sneb yn deud wrtho'i hun... drycha arna fi'n gallu siarad! A dwi ddim yn deud am funud bo fi'n canu'n briliant, dwi'n trio esbonio cymaint o ran o 'nghorff i ydi canu! Dim ond yn ddiweddar dwi 'di sylweddoli hynna, ers i fi ddechre esbonio i bobol pryd a ble dwi'n teimlo'n anghyfforddus (LOT o lefydd mae'n debyg!). Pan dwi'n canu dwi'n rili RILI cyfforddus yn fy nghorff i'n hun. Dwi'n gwybod sut i ddreifio'r Non yna, mae'n teimlo'n gyfarwydd a saff. Dwi yn y lle iawn.

Dwi ddim yn un sy'n gallu nofio'n osgeiddig, dwi fath â ci bach efo tair coes – rili horibl i wylio. Ond pan dwi'n gweld pobol yn fflôtio a nofio'n lyfli, fel'na mae canu'n teimlo, fel fflôtio mewn dŵr. Fel y teimlad *weightless* yna pan mae'r dŵr yn eich dal chi. Dim wastad, cofiwch, weithie mae'n strygl a dwi'n teimlo fath â ci efo tair coes yn nofio eto, ond pan mae'r llais yn bihafio ac yn gweithio'n iawn mae'n teimlo'n rili neis.

Y llais

Trïwch beidio lolio gormod rŵan pan dwi'n deud bod gen i a Mike Tyson rywbeth yn gyffredin! Dan ni'n fyr, a dwi'n licio meddwl taswn i mewn cornel y baswn i'n gallu edrych ar ôl fy hun... 'nes i dyfu fyny yn Rhyl wedi'r cyfan. Ond na, dim y tebygrwydd amlwg rhwng Mike a fi yw'r cysylltiad. Yn ddiweddar 'nes i glywed o'n deud, 'My mind is not my friend, and I have to control it in order to have stability in my life.' Nath hynna RILI canu cloch efo fi. Tydi'n meddwl i ddim yn ffrind i fi. Mae 'meddwl i wedi bod yn ofnadwy o greulon i fi drost y blynyddoedd. Mae gen i fwy nag un llais yn siarad yn fy mhen ers fedra i gofio, ac wrth gwrs, fi sydd wedi creu y llais arall yma – 'dio ddim yn wir ond mae o'n teimlo'n real iawn. Ac mae gan y llais ddylanwad ofnadwy o gryf drosta i. Dwi'n dal i ddysgu ffyrdd o reoli hynna a lleihau y pŵer dinistriol mae 'meddwl i'n gallu ei ddefnyddio yn fy erbyn. Dyddie yma, dwi'n gallu siarad gyda'r ochr greulon yna o 'meddwl i, fel person ar wahân i 'fi', dim fel ffrind ond fath ag *ex* falle!! Dan ni'n sifil, weithie'n pigo ffeit ond ar y cyfan yn sifil! Ond mae o wedi cymryd BLYNYDDOEDD i gyrraedd sifil.

Fel dwi'n deud, dwi ddim yn cofio'n union pryd symudodd y llais i fewn i 'mhen i, ond dwi'n gwybod gafodd o ddim gwahoddiad achos mae o'n absoliwt *tosser!* Y peth yw dwi'n galw'r llais yn 'FO' sy'n awgrymu bo fi'n clywed llais dyn – dyna fysa'n neud synnwyr, ynde? Ond na, fy llais i dwi'n clywed. Mae o 'chydig bach fel pan mae rhywun yn cael ei bosesio, dwi'n teimlo fel tasa'r creadur 'ma yn slipio mewn trwy 'nghlust i ac yn cymryd drosodd fy nghorff a'n *inner monologue* am gyfnodau. Mae o'n gweithio orie rili od, weithie *full time*, weithie mae o'n cymryd lot o amser off, ond mae o wastad yn barod i neud syrpréis *spot check* jyst i'n atgoffa i mai fo sy'n fy nabod i orau. Mae o'n RILI licio shifft nos ac mae o'n *chatty* iawn yn ystod yr orie yna. Dwi'n meddwl bod gan bawb yr *inner monologue* yna pan dan ni'n methu cysgu, 'Nest ti ddim tecstio Rachael 'nôl, mae hi'n casáu ti rŵan, a nest ti ddeud rhywbeth rili *weird* o flaen cwpwl o bobol wrth giatiau'r ysgol, maen nhw'n casáu ti hefyd. Sneb yn gwaith yn rili licio ti achos ti'n siarad gormod, neu dim digon. Mae pawb ti'n caru'n mynd i farw rhywbryd, dyna *shit*, ynde?' A dyna'r pethe neis mae'n llais i'n deud! Mae o'n gallu bod yn ofnadwy o intriwsif a chreulon.

Fo 'di'r llais oedd yn deud wrtha i pan o'n i'n fach, os nad o'n i'n tapio drws toilet yr ysgol chwe gwaith cyn ei agor y bysa Mam a Dad yn marw. Yr un llais sy'n deud wrtha i heddiw i brynu tuns o bîns wedi'u dentio neu botel o lefrith sydd ar ei phen ei hun. '*Hang on*, Non... be?' Ie, pan dwi'n mynd i'r archfarchnad ac yn dod at yr eil ble mae'r llefrith mae'n rhaid i fi sganio pob rhes i neud yn siŵr bod dim un potel ar ei phen ei hun. Os dwi'n gweld un mae'n rhaid i fi ei symud hi'n nes at botel arall, neu ei phrynu hi. Rŵan, do'n i ddim yn meddwl bod hynna'n broblem nes i fi gael therapi. Ro'n i'n meddwl ei fod o'n eitha ciwt bo fi'n gofalu am botel laeth unig, neu'n mabwysiadu tuniau o fwyd wedi'u dentio, ond mae'n debyg ei fod o'n fath o OCD, jyst fel yr OCD doeddwn i ddim yn ymwybodol o'n i'n diodde efo fo yn yr ysgol. Tan yn ddiweddar iawn mae pobol wedi camddeall y cyflwr yma ac yn dal i feddwl ei fod o'n rhywbeth i neud efo taclusrwydd neu lendid, ac mae o'n gallu bod, ond mae'n gallu maniffestio ei hun ym mhob mathe o ffyrdd. Yn rili syml, dwi'n meddwl os nad ydw i'n gwrando ar y llais 'ma sy'n deud wrtha i i neud y pethe 'ma, mae rhywun yn mynd i farw.

Ges i CBT (*Cognitive Behavioural Therapy*) rai blynyddoedd yn ôl i drio rheoli'r llais a defnyddiodd y therapydd dechneg o'r enw *The Empty Chair Technique*. Mae'n ffordd i alluogi'r cleiant i weithio trwy unrhyw *conflict* mewnol (neu allanol) drwy eu hannog nhw i siarad gyda'r broblem sydd yn y gadair wag o'u blaenau. Felly o'n i yn y sesiwn yma yn eistedd gyferbyn â'r llais. Swnio'n boncyrs, dwi'n gwybod, a 'nes i ddeud wrth y therapydd bo fi ddim yn siŵr os bysa hyn yn gweithio... *cut to* hanner awr yn ddiweddarach, dwi'n dal i siarad (allan yn uchel) efo'r llais! A'r peth nath rili syrpreisio fi oedd erbyn y diwedd oeddan ni bron iawn yn ffrindie! Roedd o'n deud wrtha i ei fod o ond yn trio 'nghadw i'n saff a'i fod o ond yn neud hynny achos ei fod o'n fy ngharu i... ond dyna dwi'n dychmygu mae rhywun yn teimlo mewn perthynas *abusive*, mae'n swnio fath â *coercive control...* ond fi sy'n ei greu o! Dwi dal ddim yn siŵr pam.

Y dyn yn y wal

Dwi ddim yn arbenigwr ar be sy'n mynd ymlaen yn fy mhen i, a dwi'n sicr yn methu esbonio popeth, ond dwi'n meddwl mai *manifestation* o'r llais yw'r dyn yn y wal. I chi gael y darlun, dyma be sy'n digwydd mewn cyfnodau o *panic attacks* cyson, gwael neu iselder. Gyda'r nos, tra bo fi mewn stad eitha tywyll, dwi'n dychmygu bo fi'n gweld dyn yn dod allan o'r wal. Dwi'n gwybod mai dychmygu'r person yma ydw i ond mae o'n teimlo'n ofnadwy o real ar y pryd. 'Dio ddim rili yn edrych fel dyn go iawn, mae o'n edrych fath â *monster* eitha *skinny*, breichie hir, dim gwallt, ddim yn aml dwi'n gweld ei goesau o. Mae o fel arfer yn sticio at y wal, fel 'sa'i goesau o dal ar yr ochr arall. Mae o fath â chysgod ond mewn 3D. Dwi'n meddwl mai'r tro cynta i fi ddechre gweld neu ddychmygu'r dyn yn y wal oedd ar daith *Cyw*, rhyw wyth mlynedd 'nôl. Ar ôl amser hir iawn o braidd dim gwaith perfformio ges i ran ar raglen deledu o'r enw *Marcaroni* fel cymeriad RILI hapus o'r enw Oli Odl. Yn fuan iawn o'n i'n gweithio ffwrdd, yn gadael fy *safe place* yng nghanol nunlle ac Iwan a'r plant am gyfnode llawer hirach nag o'n i wedi arfer ers blynyddoedd, a gafodd hynna *impact* mawr ar fy iechyd meddwl. Dylen i fod wedi rhagweld y byddai mynd ar daith yn broblem falle, achos roedd gadael y tŷ i fynd i'r siop yn ddigon o sialens heb sôn am deithio o amgylch Cymru yn aros mewn stafell westy ar fy mhen fy hun am y tro cynta ers dechre cael plant. Wrth i fi sgwennu hynna, dwi'n gwybod yn iawn, i'r rhan helaeth o bobol, bod y syniad o aros mewn gwesty glân, tawel, lyfli, heb blant ddim yn swnio

a. Yn *awful* O GWBWL

b. Fel gwaith O GWBWL

Ond i fi nath o esblygu i fod yn broblem sydd yn dal i effeithio arna i rŵan. Dwi dal methu cysgu mewn gwestai. A be sy'n gneud llai o sens yw bo fi ar y teithie yma gyda ffrindie rili da. Y criw mwya lyfli, mwya hwyl 'sach chi'n gallu dychmygu. Ond wedi peidio bod ar lwyfan am gyfnod mor hir o'n i'n ofnadwy o ansicr, a hefyd doeddwn i ddim wedi gorfod cymdeithasu fel yna ers blynyddoedd chwaith, felly roedd y gorbryder a'r *social anxiety* wedi mynd i *overdrive*. Yr adrenalin o berfformio ar ben adrenalin y *fight or flight* yn achosi i fi beidio gallu cysgu o gwbwl. Felly pan o'n i'n cyrraedd y stafell wely yn y nos roeddwn i'n gwybod bod gen i frwydr ar fy nwylo i allu delio gyda'r 'llais', y llais gyda list ANFERTH o bethe o'n i wedi eu neud yn rong, deud yn rong, bwyta'n rong, oedd y list yn mynd ymlaen ac ymlaen.

Ar y teithie 'ma hefyd dan ni'n lwcus iawn i allu bwyta gyda'n gilydd yn y gwestai ar ddiwedd diwrnod o waith, cwpwl o ddrincs a laff, *sing-song* weithie hyd yn oed. Unwaith eto dwi'n gallu clywed mor lwcus o'n i. *I get it*. Ond oedd hynna bron iawn yn neud o'n waeth.

Achos o'n i'n teimlo'n pathetic. A'r peth oedd, o'n i'n saff tra oedd digon yn mynd ymlaen a digon o bobol o gwmpas, roedd hi'n hawdd i gocsio bod popeth yn OK a boddi'r llais allan, ond oedd o'n horibl gwylio pawb yn dechre troi at eu gwlâu yn ara bach. Un wrth un, yn noswylio'n hapus, tra o'n i'n gobeithio bod rhywun yn mynd i gael un drinc arall i gadw cwmni i fi, i gadw fi rhag gorfod mynd i'n stafell wely. Achos dyna lle roedd y llais yn disgwyl amdana i, yn eistedd yn y gadair, yn aros amdana i. 'What time do you call this?' math o beth. 'Lle ti 'di bod? Yn showan off efo ffrindie ti, ie? Ti'n gwybod dan nhw ddim rili yn licio ti, yn dwyt? Ti'n gwybod tasan nhw'n gwybod be wyt ti go iawn y bysan nhw'n rhedeg blydi milltir i osgoi eistedd wrth dy ymyl di. Ti'n pathetic.' A fel'na oedd hi am orie. A fel oedd pob awr yn mynd heibio oedd o'n dechre sabotajio fory, 'OOOOh, na, drycha, ti dal heb gysgu! Ti'n mynd i fod yn ecstra *shit* ar y llwyfan yna fory rŵan, ti'n mynd i anghofio popeth, methu canu. Ti methu perfformio heb gwsg, falle 'nei di golapsio… ti'm yn gallu anadlu rŵan, wyt ti? Sut wyt ti'n mynd i anadlu fory o flaen y bobol 'na? Falle dylet ti jyst stopio anadlu rŵan, haws. A lot gwell i bawb arall. Achos ti'n boring, ac embarasing, jyst stopia fod, jyst diflanna.' Roedd o'n mynd yn anoddach ac yn anoddach i jyst dal ati i anadlu.

'Nes i bopeth y noson yna, yn y Celt yng Nghaernarfon, i jyst aros yn fyw, sticio'n hun yn y bath eto ac eto, agor ffenestri, gwisgo, cerdded rownd y stafell. Erbyn y diwedd 'nes i ffeindio'n hun yn eistedd ar risie'r gwesty gyda rhif yr *emergency doctor* ar fy nglin, ond wrth gwrs, o'n i methu ffonio unrhyw un – be 'sen i'n deud? Mae llais yn y stafell yn trio lladd fi? Felly 'nes i gario mlaen nes i fi gyrraedd adre a gweld doctor. O'n i'n diodde o *nervous exhaustion*. Roedd y doctor yn lyfli ac yn deall ac WRTH GWRS wedi gweld a chlywed hyn o'r blaen. Ges i feddyginiaeth ac es i ar gwrs therapi grŵp NHS yn wythnosol am gyfnod, nath rili helpu fi i ddechre gweld nad fi oedd yr unig berson oedd yn meddwl fel hyn. Doedd neb yna'n *weird* neu falle bod pawb yn *weird*. A beth ydi *weird* eniwe? Erbyn hyn, dwi 'di siarad efo digon o bobol am be sy'n mynd ymlaen yn ein pennau i allu deud, does yna ddim normal.

Fy nghorff

Dwi wedi bod yn hollol *shit* i 'nghorff drost y blynyddoedd. Dwi wedi deud y pethe mwya horibl a chas mwy neu lai POB DYDD wrth y peiriant sy'n cadw fi'n fyw. 'Nes i dyfu fyny yn clywed dim byd ond negeseuon fel 'a minute on the lips, a lifetime on the hips' a 'nothing tastes as good as skinny feels', 'can you pinch more than an inch?', ac os oeddach chi'n gallu pinsio mwy na modfedd, aparentli roedd angen sortio hynna allan ASAP. Dwi'n cofio, nes yn eitha diweddar, y math o 'gyngor' oeddan ni'n ei dderbyn gan *so called* arbenigwyr: neud pethe fel tynnu llun ohonach chi'ch hunain rŵan (achos dach chi'n *disgusting*) a'i roi o ar y ffrij i stopio chi fwyta (achos fel ydach chi rŵan... dach chi'n edrych yn *DISGUSTING*, cywilydd arnoch chi).

Yn ystod yr 80au a'r 90au oeddan ni'n addoli'r Siwpermodels. Nath Kate Moss gyrraedd ac oedd popeth am *heroin chic* – *I MEAN*, BE?!!! Ond doeddan ni ddim rili yn *outraged*, na hyd yn oed tipyn bach yn flin achos oeddan ni erbyn hynny wedi cael ein brênwashio i gredu bod unrhyw beth dros seis 10 yn rong. Cyn i fi hyd yn oed gyrraedd oedran hunanymwybodol rili o'n i'n ymwybodol bod merched i fod yn 'fach'. Roedd ein mamau ni i gyd ar ddeiat parhaol – oedd o'n hollol normal i Mam beidio â bwyta drwy'r dydd os oedd hi'n mynd allan am bryd o fwyd y noson yna. Y compliment mwya gan unrhyw un oedd, '*Oh*, mae hi'n slim neis', a'r lein pasif agresif waetha gan aelod o'r teulu (benywaidd fel arfer, sy'n neud o'n fwy ffycd yp fyth) oedd, '*Oh*... ti'n edrych yn dda...' Roeddan ni i gyd yn gwybod beth oedd hynna'n RILI meddwl... 'Ti 'di rhoi pwysau ymlaen... ti'n edrych yn dewach... yn dew... tew.'

'Os bysa hi jyst yn colli 'chydig bach o bwysau bysa hi'n rili bert'. Roedd gan BOB cylchgrawn y symbolau neu'r siapiau 'ma roeddan ni i fod i'w hadnabod fel ein cyrff ni, a chyngor ar sut i guddio'r siapiau yna. Wyt ti'n afal neu pêr? Triongl neu sgwâr? Wel sdim ots be wyt ti, plis paid â'i ddangos o. *I mean*... o'n i'n gwylio *Baywatch* pob nos Sadwrn yn teimlo fath â *monster* ar ôl bwyta treiffl M&S (bach o ddefod wythnosol ond, mini treiffl, *just for the record*). Nid yn unig o'n i methu achub bywydau, yn waeth na hynna o'n i RILI ddim yr un siâp ag unrhyw un o'r *lifeguards*. *God*, Non, sut wyt ti hyd yn oed yn gallu edrych yn y drych pob bore?! O'n i jyst yn teimlo'r cywilydd mwya yma bod gen i ddim y corff 'iawn', ac yng nghefn fy mhen o'n i'n meddwl taswn i jyst yn gallu edrych fel 'pawb arall' byswn i'n teimlo fath â 'pawb arall' (pwy bynnag oeddan nhw).

Ond 'nes i ddim byd drastig nes i fi gyrraedd diwedd fy mlwyddyn gynta yn y coleg. Ar noson allan 'nôl adre yn Rhyl o'n i mewn clwb efo rhai o'n ffrindie i a rhai o ffrindie 'mrawd i, a nath un o'i ffrindie o weiddi, '*God*, Non, ti 'di rhoi *shitloads* o bwysau ymlaen' ac i fi roedd o'n teimlo fel tasa pob man wedi mynd yn dawel a bod PAWB yn edrych arna i, a dyna'r peth diwetha oedd y Non oedran yna isio! So, yn fy mhen i, er mwyn neud yn siŵr doedd neb yn edrych arna i, roedd yn rhaid i fi fod yn llai, yn llai a fel 'pawb arall'. So 'nes i ddechre cyfri calorïe i ddechre, yna symud ymlaen i binjio a chael gwared ar be o'n i wedi ei fwyta i lawr y toilet un ffordd neu'r llall. Dwi dal yn ffeindio hi'n anodd i ddeud bo fi'n bwlimic achos o'n i'n meddwl ar y pryd, a dwi'n dal i feddwl hynny rŵan mewn ffordd, mai pobol 'rili sâl' sy'n bwlimic.

Do, 'nes i golli lot o bwysau ond do'n i byth yn edrych yn denau, denau, dim fel y llunie o'n i'n gweld o ferched bwlimic. Ychydig bach fath â'r ddelwedd yna sydd gan bawb o sut mae alcoholic yn edrych, corff ar fainc mewn parc yn yfed allan o fag papur. Wrth gwrs, dan ni'n gwybod bod gan LOT o bobol berthynas rili wael efo alcohol, ond maen nhw'n dal i allu mynd o gwmpas eu bywydau pob dydd ac edrych yn hollol normal. Wel, o'n i'n teimlo fel yna gyda bwyd a dwi'n siŵr bod LOT o bobol yn teimlo 'run fath â fi. Doeddwn i ddim yn edrych yn sâl, 'nes i 'rioed orfod mynd at ddoctor ond roedd dal anhwylder bwyta gen i, p'un a o'n i'n ei enwi neu beidio. A, do, 'nes i stopio 'cael gwared' ar fwyd ar ôl cyfnod o ryw 18 mis ond 'nes i barhau i weld bwyd fath â'r gelyn am ddegawdau. A beth oedd yn rili drist oedd, do, 'nes i newid fy siâp i fod yn debycach i'r safonau harddwch oedd yn cael eu plastro drost bob man. 'Nes i neud fy hun yn llai, ac yn llai o darged i sylw negyddol, ond o'n i'n casáu fy hun yn fwy fyth achos o'n i'n gwybod o'n i heb newid o gwbwl ar y tu fewn. Os rhywbeth, o'n i'n fwy afiach achos oedd beth oedd pobol yn ei weld wrth edrych arna i rŵan yn gelwydd ac yn ganlyniad i neud pethe rili niweidiol a gwael. A do'n i byth digon bach, a fyswn i byth yn ddigon bach sdim ots pa siâp 'swn i.

Mae yna bobol sy wedi deud bo fi'n dew. Yn ystod dyddie cynnar Eden gafon ni 'gyngor' gan sawl person y dylen ni rili meddwl am golli 'chydig o bwysau ac, wrth gwrs, nathon ni wrando achos mae pawb mor *programmed* i feddwl mai slim yw'r unig siâp deniadol. Ond wedyn pan o'n i'n llai dwi'n cofio pobol yn cymryd y *piss* ohona i am fynd i'r *gym* achos 'ti ddim hyd yn oed angen colli pwysau, ti mor *annoying*' (sy'n RILI

61

backward). Y peth ydi, pam bo pobol yn meddwl bod ganddyn nhw unrhyw hawl i roi barn ar eich siâp chi? Ac os dan ni'n rili onest dan ni i gyd wedi sbio ar bobol eraill a gweld 'siâp' achos dan ni'n brênwashd.

Dwi'n meddwl bod pethe'n dechre newid yn araf bach, diolch BYTH. Mae 'na lot o ferched ifanc anhygoel yn neud gwaith ffantastic i newid y 'ddelfryd' a dwi'n ddiolchgar iddyn nhw. Dim ond rŵan yn 47 oed dwi 'di dechre rili gwerthfawrogi fy nghorff. A dwi wedi gorfod deud sori HIWJ wrtho. Mae gen i gymaint o gywilydd am sut dwi wedi siarad efo'r corff 'ma sydd wedi mynd â fi i lefydd anhygoel: geni tri babi, bwydo tri babi, dawnsio mewn clybiau, caeau, ceginau, ar lwyfannau. Mae o wedi fy nghadw i'n fyw a 'ngharioi i drwy adegau rili *shit*. Dim mwy o eirie cas. Mae o'n anhygoel a dwi'n mynd i ddiolch iddo a'i ddathlu o hyn ymlaen.

Sgidie

Dwi'n caru sgidie. CARU nhw. Drychwch ar dudalen Instagram fi, mae lot o sgidie yna. Falle mwy o lunie o sgidie nag o lunie o 'mhlant. Dwi'n gwybod be dach chi'n meddwl... 'Ie, so? Mae lot o bobol yn caru sgidie, Non. *It's a thing.*' Ond dwi'n syrthio mewn actiwal cariad efo nhw, dim mewn ffordd romantic, dim byd *kinky* ond dwi'n gallu eistedd a jyst syllu ar sgidie. Dwi'n eu cadw nhw o gwmpas y tŷ ble dwi'n gallu eu gweld nhw, yn enwedig yr *heels*, maen nhw'n neud fi'n RILI hapus. Dwi wastad wedi dibynnu ar sgidie ar gyfer pob achlysur cymdeithasol. Falle bod gen i ddim byd sbesial i'w wisgo, dim byd newydd, ond dwi'n gwybod, os wna i gwisgo sgidie anhygoel, sdim ots am weddill yr owtffit. 'Ie, ie, Non, dan ni'n gwybod hynna hefyd, mae sgidie neis yn gallu safio owtffit. Dan ni 'di gwylio eitemau Lorraine Kelly, *all good*, diolch am y tip.' Ond mae'n mynd yn ddyfnach na hynna, dwi'n addo. Mae sgidie yn gallu neud i fi feddwl bo fi'n rhywun sy'n haeddu sylw ar un llaw, ac ar y llaw arall fy helpu i trwy gymryd y sylw oddi arna i os dwi ddim yn y mŵd i fod yn hyderus. Maen nhw fel ffrindie gorau – 'They've got my back'.

Dwi'n cofio'r pâr cynta i fi fod yn OBSESD efo nhw. Dwi'n cofio bod yn bump neu chwech oed, falle, yn edrych trwy gatalog Nain a ffeindio'r sgidie bach *patent* du 'ma efo *ankle strap* a bow. Roeddan nhw'n berffaith, i fi beth bynnag. 'Nes i dreulio dyddie jyst yn syllu ar y llun ac yn dychmygu sut deimlad bysa fo i wisgo sgidie fel yna. Yn y sgidie yna byswn i'n rhywun gwahanol, rhywun sbesial, un ddel a gwerth sbio arni. Do'n i byth yn un 'dwisio hyn a dwisio'r llall' fel plentyn, ond dwi'n meddwl falle bod gweld y dudalen efo'r sgidie yna wedi'i phlygu wedi toddi calon Nain, neu Mam falle, ac mi ges i nhw. Dwi'n cofio trio nhw mlaen ac oeddan nhw'n stiff a'r *ankle strap* yn rhwbio yn ofnadwy ond o'n i'n teimlo fel dol. Dol fach *shiny* newydd, dim merch fach hyll *awkward*. Doedd Mam ddim wastad isio gwario arian ar sgidie ysgol Clarks. Roeddan nhw'n ddrud, ond cwpwl o weithie mi nath hi a dwi methu egluro mor ecseiting oedd hynna, mor bwysig o'n i'n teimlo yn cael mynd i fewn i'r siop a chael rhywun yn mesur fy nhraed. Dwi'n gwybod bo fi'n paentio darlun ohona i fel Sinderela ond fel yna o'n i'n teimlo! 'Shall I put them in the box or would you like to wear them now?' *NOW!!!* A cherdded allan o'r siop fel rhywun arall, rhywun newydd. Ro'n i'n teimlo bod pobol yn edrych arna i'n wahanol.

Pan o'n i 'chydig yn hŷn, 11–12 falle, o'n i draw yn nhŷ Nain pan ddaeth un o'i 'ffrindie' hi draw. Wel, dwi'n deud 'ffrind', doedd Nain ddim yn ei licio hi. Hen drwyn beirniadol, snobyddlyd, cul oedd Mrs Roberts. Chi'n gwybod y *soundtrack* sy'n dod mlaen pob tro mae'r Wicked Witch of the West yn dod ar y sin yn y *Wizard of OZ*? Wel dyna oedd y *vibe* pan oedd Mrs Roberts yn agosáu. Beth bynnag, yn ystod yr ymweliad *delightful* yma dwi'n cofio hi'n dechre siarad am fy chwaer Nia.

'Does gen ti ddim cywilydd, Meri? Ti 'di gweld hi'n cerdded o gwmpas y lle? Yn y fath sgidie? Pwy mae hi'n meddwl ydi hi?'

Fel dwi 'di sôn, mae Nia wastad wedi bod MOR CŴL, dwi'n siŵr oedd beth bynnag oedd am ei thraed hi nath offendio Mrs Roberts yn FFANTASTIC. Yr eiliad yna aeth hi fel yma yn fy mhen...

'Pwy mae Nia'n meddwl ydi hi? Dim syniad, ond diolch i ti, Mrs Roberts, rŵan dwi isio gwisgo'r math o sgidie ti ddim yn licio hefyd, achos dwi ddim isio i ti licio FI chwaith, achos dwi ddim yn licio TI na phobol eraill fel ti. So o hyn ymlaen bydda i'n gwisgo'r math o sgidie dwyt ti ddim yn eu hoffi, diolch.'

Ac ers hynna, dwi'n siriysli meddwl bo fi 'di dewis gwisgo sgidie er mwyn deud 'dyma fi', ac ar adegau pan dwi wedi teimlo'n *shit* mae sgidie yn rili helpu fi... 'We got this, Non, let's go.' Yn ystod y pandemic nath rhywun ofyn i fi beth o'n i'n edrych mlaen at neud fwya unwaith fysan ni i gyd yn cael mynd allan i'r byd mawr eto. Y peth cynta ddaeth i'n meddwl i oedd 'gwisgo sgidie'. Wedi drost flwyddyn o wisgo slipars neu sgidie cerdded (a pheidiwch â deud wrthyn nhw ond does ganddyn nhw ddim lot o bersonoliaeth os dwi'n onest) o'n i jyst isio gwisgo'r sgidie lliwgar, sbarcli, biwtiffwl yna eto. A, ie, dwi'n gallu clywed ti, Mrs Roberts:

'Pwy dwi'n meddwl ydw i?'

Non ffycin Parry. Diolch am ofyn.

Canmoliaeth

Dwi'n meddwl bod y rhan fwya ohonon ni yn hôples am dderbyn canmoliaeth, a dwi'n sôn am jyst pethe bob dydd fel, 'dwi'n licio gwallt ti'. Ymateb fi bob tro ydi, 'WYT TI?!!! *God* mae o'n *awful*, *obviously* does dim brwsh yn tŷ ni, ond mae'n lân am *change*, falle mai dyna sy'n wahanol?' Be sy'n bod efo jyst 'diolch', Non? A 'dio ddim yn neis iawn i'r person sydd besicli newydd roi rhywbeth i ti. Tasen nhw wedi rhoi presant i fi 'sen i ddim yn deud, '*Oh God*, presant?!!! Paid â rhoi presant i fi.' (Dwi actiwali yn eitha *shit* am dderbyn presantau hefyd.) Mae o fel arfer yn mynd fel hyn pan dwi'n cael presant:

'*Oh*, pam nest ti hynna? Doedd dim isio i ti brynu UNRHYW BETH i fi. *Oh*, ti'n stiwpid am neud hyn, doedd rili ddim angen i ti.'

I mean, pan ti'n ei weld o mewn du a gwyn mae'n swnio'n horibl o beth i'w ddeud ond dwi'n siŵr bod lot ohonach chi yn deud yr un math o beth, yn tydach?! Hyd yn oed fel plentyn, dwi'n cofio ffeindio agor presantau yn ofnadwy o *awkward*. Fel arfer mae pawb mewn rhyw fath o gylch o'ch amgylch chi yn edrych arnach chi, *awkward*. Wedyn yn edrych i weld be gafoch chi. Tu fewn dwi'n panicio am be dwi 'di cael achos tan bo fi'n gwybod hynna dwi ddim yn gwybod sut i ymateb, ac os dwi'n mynd i ymateb yn iawn. Wedyn dwi'n ymateb, a hyd yn oed os dwi'n ABSOLIWTLI CARU be dwi 'di dderbyn mae fy mhen i'n deud wrtha i bo fi ddim yn ei ddangos o ddigon – fel cyfarwyddwr yn gofyn i fi drio *take* arall, 'Doedd dim digon o egni yn y diolch yna, Non, dwi ddim yn meddwl bod y gynulleidfa yn *convinced*.' Dwi'n meddwl mai'r sylw ydi o, dwi jyst ddim isio'r sylw, ond dwi'n *fine* efo canu o flaen 3000 o bobol sy'n clapio. 'Dio ddim yn neud sens rili, ydi o?!

Mae o 'run stori efo unrhyw beth dwi'n ei gyflawni, fath â pan nath Eden berfformio gyda'r Welsh Pops yn y Pafiliwn. Bob tro roedd unrhyw un yn deud, 'Oeddach chi'n grêt yn y Pafiliwn', o'n i'n ateb efo, 'Wel, mae unrhyw un yn mynd i swnio'n *awesome* gyda cherddorfa anhygoel', neu 'wel, oedd y gynulleidfa'n ANHYGOEL, doedd dim rhaid i ni ganu lot, diolch byth, nath y gynulleidfa hynna i ni'. Mae'r un peth yn wir efo'r MA dwi'n neud. Mae pobol yn deud, 'dwi mor prowd bo ti 'di mynd yn ôl i coleg, dylet ti fod mor falch o't ti dy hun.' Fi: 'Weeeeel, fi 'di idiot y dosbarth a dwi ddim wedi pasio urhyw beth eto, ydw i?' Mae hynna'n swnio MOR *RUDE* ar bapur!! Chi'n gwybod be sydd ddim yn swnio'n *rude*? '*Ah*, dyna lyfli, diolch i ti am ddeud hynna.' Pam dan ni'n meddwl bod deud hynna'n rong?! Dan ni'n meddwl ei fod o'n swnio'n *bigheaded* ond 'dio ddim rili, ydi o? Mae o'n swnio'n gwrtais, a LOT neisiach na'r pethe dwi wastad yn eu blyrtio allan mewn panic. Mae'n rhaid i ni ddechre derbyn canmoliaeth, yn does? Achos mae'n rhaid i ni gofio pob tro mae rhywun yn glên efo ni, ac yn deud pethe neis, eu bod nhw'n rhoi presant bach i ni, a na, doedd dim rhaid iddyn nhw. Maen nhw'n licio ni – dyna neis, ynde?

Iwan

Y tro cynta i fi gyfarfod Iwan oedd yn Bafta Cymru, tua 1997, dwi'n meddwl? Roedd Eden wedi cael gwybod ein bod ni'n mynd i fod yn cyflwyno cyfres newydd o *Noc Noc* gydag Eddie Butler. Rŵan, o'n i wedi gwylio tipyn o *Noc Noc* tra o'n i'n coleg ac yn gwybod pwy oedd Eddie Butler, ond doedd gen i ddim syniad pwy oedd o dan Eddie Butler, a dim jyst y mêc-yp, achos roedd cymeriad Eddie Butler mor intens doedd gen i ddim syniad pa fath o berson fysa'n dreifio'r *monster* yna! So dyna lle oedd y dair ohonon ni, yn yfed y *freebies* wedi gorffen perfformio i'r *great and powerfuls* a'r megastars i gyd. (Ni'n siarad am David Emanuel, cynllunydd ffrog briodas Lady Di, Michael Ball, Keith Allen, Gareth Roberts, Siân Tywydd, WCW.) Roedd y Baftas yn *wall to wall AWESOME* a gwyllt yn y 90au. Ac oeddan ni'n tair dal MOR RHYL! *Can you imagine?!* Beth bynnag, dyna lle oeddan ni *loving life* pan nath Rach weld Iwan o bell, yn siarad efo Rhodri Owen (CLANG arall i chi). Roedd 'chydig o, 'Fo 'dio? Dwi'n siŵr na fo 'dio' cyn i Rach ac Emma beltio draw ato fath â chwpwl o Golden Retrievers bach heb ffilters, yn neidio drosto fo ac yn bloeddio, 'DAN NI'N MYND I FOD YN GWEITHIO EFO TIIIII OMAIGOD DAN NI MOR ECSEITEEEED. TI'N MYND I GASÁU NI. DAN NI'N SHIIIIT' *kind of vibes* tra o'n i'n hofro o gwmpas yn y cefndir, yn y cysgodion fath â *weirdo* achos i fi, roedd Iwan jyst yn edrych yn rhy cŵl. Wrth gwrs, dwi'n gwybod rŵan bod Iwan yn meddwl bo fi'n meddwl bo fi'n rhy cŵl i ddod i siarad efo fo, so dyna wers i ni i gyd... dwi'm yn siŵr be 'di'r wers ond mae un yna'n rhywle. Weithie mae *awkward* yn edrych yn cŵl? Na, dim hynna, ond mae gwers yna, dwi'n gwybod... mae *fine line* rhwng cŵl a *weird* efallai? Dwn i'm. Beth bynnag, un peth *surprising* oedd pa mor olygus oedd o heb y *shit* llwyd yna drosto fo a'r llais *screechy*. Roedd Eddie B *real life* yn ffit. Roedd ganddo fo wyneb rili rili clên a hapus ond drwg ar yr un pryd. Do'n i 'rioed wedi cyfarfod â neb fath ag Iwan. Roedd o fel plentyn cyn i bobol a bywyd ddechre eu newid nhw. Yn rili mwynhau y pethe a'r bobol oedd o'n eu licio a ddim yn poeni O GWBWL beth oedd pobol yn feddwl ohono fo. Doedd dim hunanymwybyddiaeth yn perthyn iddo. Roedd o jyst yn edrych yn fyw. Yn hollol fyw. Roedd o'n beth rili biwtiffwl i'w wylio. Ond dwi'n gwybod be dach chi'n disgwyl i fi ddeud... oedd o hefyd yn briod! Mae hynna yn ffaith ond 'nes i syrthio mewn cariad efo fo a nath o syrthio mewn cariad efo fi.

Nathon ni ddechre ffilmio cyfres gynta *Hotel Eddie* yn 1998, yn byw bywydau hollol ar wahân, ac erbyn i ni orffen ffilmio'r gyfres ola yn 2002 roeddan ni'n briod gyda phlentyn un oed ac yn byw mewn tŷ bach ym Mhontyclun. Dwi 'di deud wrth Iwan nifer o weithie (cwpwl o weithie ar ein mis mêl hyd yn oed), 'Dan ni rili ddim yn nabod ein gilydd, ydan ni?!' A dim mewn ffordd wael, jyst ein bod ni heb feddwl dwywaith mai efo'r llall oeddan ni isio bod, nabod ein gilydd neu beidio. Dim ond ar ein mis mêl 'nes i sylweddoli bo fi'n CASÁU *rollercoasters*. Yn anffodus ro'n ni 'di penderfynu mynd i Disneyland Florida ar ein mis mêl... i fynd ar lot o reids. Mae Iwan 'di ffilmio *loads* o fideos rili ffyni o'r gwylie yna efo fi'n crio ac yn deud, 'dwi 'di sbwylio bywyd ti'n barod, yn do?'

Yn y blynyddoedd diwetha dwi wedi teimlo bod angen i fi ymddiheuro i Iwan am y salwch meddwl mae o wedi gorfod delio efo fo. Dim dyma'r Non nath o seinio fyny i fyw efo hi. Nath o gyfarfod fi pan o'n i mewn lle rili hapus, cyfforddus. Roedd y Non yna'n ysgafn, mae'r Non yma'n drwm ac yn *unpredictable*. Mae o wedi gorfod trio deall pam dwi methu gadael y tŷ, a pham dwi jyst methu ateb y ffôn, a sut dwi'n gallu edrych yn hollol *fine* yng nghwmni pobol eraill ond wedyn ar ôl cyrraedd adre dwi'n gorfod cuddio mewn stafell ar fy mhen fy hun. Mae'n rhaid ei fod o mor anodd i wylio partner yn cau ei hun rhag y byd. Sut allwch chi beidio cymryd hynna'n bersonol? Sut allwch chi beidio meddwl eich bod chi ddim yn ddigon i gadw'r person yma'n hapus? A sut alla i drio esbonio ei fod o ddim byd i neud efo unrhyw un arall, ar wahân i fi'n hun. Ei fod o i gyd tu mewn i 'mhen i, mewn lle does neb yn gallu ei weld. A dyna'r broblem, 'di 'mhroblem i ddim yn weladwy.

Dim ond ar ôl i ni symud i fyw efo'n gilydd yn y tŷ bach yna ym Mhontyclun yn 1999 nath Iwan ffeindio allan bod rhywbeth yn bod gyda'i arennau. Roedd rhaid i ni'n dau gael profion rwtîn er mwyn cofrestru gyda'r syrjeri a dyna pryd ffeindion nhw fod gormod o brotein yn ei bi-pi. Gafodd o sgan a ffeindio mai dim ond un aren oedd ar ôl ganddo a doedd honno ond yn gweithio ar 68% ar y pryd. Rŵan, dwi wedi bod mewn sawl stafell feddygol efo Iwan yn gwrando ar yr ymgynghorydd yn trafod sut oeddan nhw'n mynd i drin yr afiechyd yma a dim unwaith 'nes i glywed unrhyw un yn deud wrth Iwan, 'Cer i brynu pâr o sgidie newydd neu lipstic falle a neith yr aren arall yna dyfu 'nôl.' Ond dyna oedd y math o gyngor o'n i'n ei gael os o'n i'n cael cyfnod isel neu unrhyw beth llai na hapus rili. Y pwynt yw, na, nath Iwan ddim seinio fyny am flynyddoedd gyda phartner ag iselder a gorbryder 'run ffordd â 'nes i ddim seinio fyny am flynyddoedd o boeni am Iwan, ac apwyntiadau ysbyty, offer dialysis, blynyddoedd ar restr trawsblaniad, methu trafeilio rhag ofn i ni gael galwad ffôn i ddeud bod aren ar gael. Ond tydi pobol â phroblemau iechyd meddwl ddim yn cael yr un cydymdeimlad â phobol gyda salwch gweledol, fel 'sa dewis efo ni. Ac am flynyddoedd dwi wedi teimlo'n wael achos does dim byd gen i i gwyno amdano – mae gen i bopeth, yn does? Ond 'nes i ddim dewis fy afiechyd i mwy na nath Iwan ddewis arennau *shit*. Be dwi'n ddeud ydi does gan yr un ohonon ni syniad am be dan ni'n seinio i fyny pan dan ni'n penderfynu ymrwymo i berthynas, ond os dan ni'n lwcus dan ni'n ymrwymo efo rhywun sy'n mynd i eistedd wrth ein hochr ni drwy ba bynnag *shitfest* dan ni'n gorfod ei wynebu.

Dwi'n lwcus iawn bo fi wedi ffeindio rhywun mor blydi lyfli i eistedd efo fo. Mae pawb yn gyfarwydd â'r Iwan John *larger than life*, ffyni, sili ac, ie, inapropriet weithie. 'Sen i'n ferch gyfoethog iawn taswn i 'di cael punt bob tro mae rhywun wedi deud, '*Oh*, mae'n rhaid bo ti'n chwerthin drwy'r amser efo fo, mae'n rhaid bod tŷ chi'n *madhouse*.' Wel... ydi ond *not always in a good way*, druan ag Iwan! A 'di Iwan ddim wastad yn *barrel of laughs* ei hun, fel pob un ohonon ni. Mae o YN LOT o hwyl a sili ac inapropriet ond mae o hefyd yn ofnadwy o *compassionate* ac yn ffyddlon i bawb. Mae o wastad yn taclo pob *issue* neu broblem sy'n codi mewn ffordd onest, 'dio byth yn osgoi *shit*, ac os 'dio ddim yn deall rhywbeth mae o'n neud yn siŵr ei fod o'n o leia trio deall. Sdim rili ots ein bod ni ddim yn nabod ein gilydd reit ar y cychwyn achos doeddan ni ddim rili yn nabod ein hunain! Do'n ni'n bendant ddim yn gwybod beth oedd ar y ffordd, neu o'n blaenau ni – mwy nag unrhyw un arall – ond dan ni ddim i fod i wybod a dyna pam mae'n neud sens i beidio â meddwl y bydd y person ti'n priodi yr un person pan dach chi'n 47! Sy'n swnio'n depresing ond, na... bydd gan y person arall 'ma lot mwy o storis (*loads* efo ti ynddyn nhw, sy'n briliant) ac yn fwy briliant fyth byddan nhw wedi gweld popeth... riiiiili popeth. 'Ie, Non, ond ble mae'r majic?'... Wel, 'di *magicians* byth yn dangos popeth, mae lot o gyrtans a bocsys a menyg a rhyw folycs yn *involved* efo majic, yn does? Fel hyn dwi'n ei gweld hi:

1. Dwi'n casáu majic, mae'n edrych yn stiwpid.

2. Mae'n edrych yn stiwpid achos dan ni i gyd yn gwybod eu bod nhw'n deud celwydd ac yn meddwl ein bod NI'N stiwpid.

3. Majic go iawn ydi gallu neud pryd o fwyd allan o dun o tiwna, cornfflêcs a cwinoa os ti'n gofyn i fi.

Ie, dwi'n gwybod dwi'n lwcus achos 'nes i briodi cyn-enillydd *Pryd o Sêr 2013* ('dio ddim yn licio siarad amdano fo). A dyna'r *thing*... o'n i'm yn gwybod bo fi'n seinio fyny am hynna, nago'n? Trît bach oedd hynna! 'Nes i ddim priodi Iwan am ei *culinary skills*, 'nes i ffeindio hynna allan nes mlaen ar ôl seinio'r contract. Fo sy'n neud cinio Nadolig (a phob cinio dydd Sul drwy'r flwyddyn. *YAHOOOOOO!*). Doedd gen i ddim syniad bod hynna'n mynd i ddigwydd pan 'nes i gerdded lawr yr eil. *BONUS*! So be dwi'n ddeud ydi, mae'n hawdd iawn jyst edrych ar be oedd ddim yn y plan mewn ffordd rili negyddol a blin, ond mae plans yn boring. 'Di Iwan ddim yn boring ac mae o'n well na majic.

Steff (a Wendie, Gwil a Geth)

Alla i ddim rili siarad am Iwan dyddie 'ma heb siarad am Steff! Bydd lot o bobol yn cofio 2020 fel blwyddyn Cofid, blwyddyn y clo, y flwyddyn ddigwyddodd lot ond braidd dim. Wel, i'n teulu ni ac i deulu Steff roedd mis Ionawr 2020 yn ddigon o newid byd am flwyddyn gyfan. Wedi cyfnod hir o aros am aren i Iwan daeth Steff i'r resgiw, roedd o'n *match* i Iwan. A sut mae diolch i Steff a Wendie ei wraig a'u hogiau Gwil a Geth am y cynnig yna? (Dwi 'di trio a does dim ateb, mae'n amhosib.)

Roedd y cwpwl o ddyddie 'nes i dreulio yn Ysbyty'r Heath efo Iwan a Steff yn derbyn y driniaeth yn BONCYRS. Yn *terrifying*, hileriys, swreal, emosiynol a fel 'sa Steff ei hun yn ddeud, 'ABSOLIWTLI AMAIZEN'. 'Sen i, fel lot ohonach chi, dwi'n siŵr, yn licio meddwl y bysen i'n rhoi organ i ffrind a dwi wastad wedi bod yn fwy na hapus a balch i gario cerdyn rhoddwr. Ond mae'r realiti o jyst cynnig un yn hiwj. HIWJ. Mae'n cymryd person arbennig i neud hynna ac i'w neud o yn y ffordd hollol *casual* a normal nath Steff! Roedd o fel tasa fo'n cynnig y *lawnmower* neu ddecpunt i ni. Mor ddi-ffws â hynna. A falle fyswn i'n ffeindio hynna'n *weird* gydag unrhyw un arall... ond Steff 'dio. A fel yna mae o.

Dwi 'di nabod Steff ers bron iawn 25 o flynyddoedd, ers tua'r un adeg ag y cychwynnodd Eden, a galla i ddeud yn onest ei fod o heb newid DIM. (Dwi'n siŵr bysa Wendie yn anghytuno!) Ond i fi mae o JYST fel oedd o pan 'nes i gwrdd â fo'r tro cynta. Hapus, sili, ac yn *surprisingly* galonogol. Pan mae Steff yn y stafell ti'n gwybod bod popeth yn mynd i fod yn OK, a hyd yn oed os ydi pethe'n mynd yn *shit* gewch chi laff. Dwi 'di treulio orie yn gweithio efo fo a 'dio byth yn teimlo fel gwaith. Mae o fel ffrind gorau, brawd, mab a weithie gŵr *all rolled into one*. A'r peth mwya bisâr yw bod rhan ohono fo rŵan yn byw efo ni. Dwi MOR falch bo fi 'di cael rhannu gymaint o amser gyda'r unigolyn ridiciwlys yma.

Genedigaeth, plant a theulu cymysg

Dwi wastad wedi bod yn desbret i gael plant. Ers o'n i'n fach fach yn chware 'mam' drwy'r amser, dwi'n cofio hyd yn oed chware mynd â'r plant ar y *school run* yn car Mam. *Who knew* bo realiti hynna yn gymaint o *ball-ache*? Doeddwn i ddim yn sylweddoli bod yr awr rhwng deffro'r plant i fynd i'r ysgol a sticio nhw yn y car yn mynd i fod yn gymaint o straen ar fy mhwysau gwaed. Fel plentyn

bach yn chware mam, 'nes i 'rioed weiddi, 'DANNEDD!!!!'
a 'LLE MAE SGIDIE TI!???!... BAG... BAAAAAAAAGS!!!!'
ar y doliau bach, roeddan nhw wastad yn cydweithredu.
Mae plant go iawn yn lot mwy *annoying* OND o'n i methu
aros i fod yn fam. 'Nes i 'rioed chwaith ddychmygu fel
plentyn yn chware 'mam' y byswn i'n llysfam i ddau o
blant ifanc iawn erbyn bo fi'n 24 oed.

O'n i wedi cael tipyn o bractis ymarferol gyda babis
go iawn diolch i blant Caryl. Ond mae dod yn llysfam
yn golygu set hollol newydd o reolau i drio eu derbyn
a'u llywio yn dibynnu ar ddymuniadau a theimladau nid
yn unig y fam ond teulu'r fam, yn ogystal â theulu Iwan
yn y dyddie cynnar, yn fy mhrofiad i beth bynnag. O'n
i'n ymwybodol iawn bod rhaid i fi gymryd fy nghiwiau
o ran pês, infolfio fy hun ym mywydau Meg a Tomos a
phryd i gamu mlaen i neud pethe sy'n naturiol i unrhyw
fam, fel cysuro plentyn sy'n ypsét neu roi ffrae i blentyn
sy'n cambihafio. Doeddwn i ddim yn teimlo'n hyderus yn
neud hynna am sbel, a dwi'n meddwl bod hynna'n OK.
Dim fod unrhyw un wedi neud i fi deimlo bod gen i ddim
hawl i fod yn *hands on* O GWBWL, ond i fi dyna oedd y
peth iawn i neud. Dwi ddim yn meddwl bysa unrhyw un,
yn cynnwys Iwan, wedi gwerthfawrogi fi'n barjio mewn
ac yn cymryd drosodd gyda'r swsys a'r hygs a'r rows.
Roedd o'n *no brainer* i fi bod rhaid ennill y parch, yr
ymddiriedaeth a'r cariad gan bawb, nid yn unig y plant.
Gyda llaw, oeddwn i methu diodde meddwl am greu'r
isbennawd LLYSBLANT wrth siarad am Meg a Tom.

Bysa hynna wedi teimlo'n hollol annaturiol achos mae Meg a Tom yn frawd a chwaer i Wil, Jacob a Kitty, nid hanner brawd a chwaer. Mae'r pump GORJYS yna yn dod gyda'i gilydd mewn set, felly i fi y plant yw'r plant. Ar y llaw arall fyswn i byth yn gofyn nac yn disgwyl i Meg a Tom fy ngalw i'n 'Mam' – dwi'n fwy na *fine* gyda'r term llysfam, dyna ydw i, dim mam. Y gwirionedd yw dwi ddim angen unrhyw derm i fy atgoffa i bo fi'n eu caru nhw mewn ffordd unigryw, ffordd wahanol i'r plant 'nes i eu geni, ond ddim llai. Mae'n gyfrifoldeb dwi wedi teimlo'n freintiedig iawn i'w gael o'r cychwyn cynta. Mae'n fraint i fod yn rhan fawr o fywydau'r ddau.

Mae gan Wil, Jacs a Kit lot i fod yn ddiolchgar i Meg a Tomos amdano achos ges i lot o bractis tra o'n i *on the job*. Nhw nath roi'r 'mam *apprenticeship*' i fi. O'n i'n meddwl ei fod o'n mynd i fod yn *fine*, o'n i 'di gwarchod digon o *cousins*, ond mewn gwirionedd y cwbwl o'n i rili wedi neud oedd gwylio fideos, dysgu dans rwtîns a bwyta crisps efo nhw. Roedd hyn mewn *league* gwahanol, *the real stuff*, ac o'n i'n gwybod eu bod nhw'n styc efo fi. O leia mae'r plant ti'n gwarchod yn gwybod mai dros dro ti *in charge*, so hyd yn oed os ti'n hôples, dwyt ti ddim yn *permanent fixture*. Ond o'n i'n mynd i fod efo Meg a Tomos LOT. O'n i hefyd MOR ymwybodol bod Iwan erbyn hyn yn rili gwybod be oedd o'n neud – newid napis... dim problem, defnyddio *car seat*... hawdd, gwybod pa fwydydd mae plant dwy oed a llai yn cael bwyta... tic. Hyd yn oed heddiw mae pobol yn dal i gymryd yn ganiataol bod y fam yn gwybod sut i ofalu am y plant yn well na'r tad – dan ni ddim angen *handbook*. *What's that about?!*

Ac yn y dyddie cynnar yna, pan oedd y pedwar ohonon ni'n mynd allan, o'n i'n teimlo fel tasa pawb yn ein gwylio ni ac yn meddwl, 'Pwy 'di HI yn y sefyllfa yma?... Ydi'r dyn yna, druan, yn gorfod gofalu am ddau o blant a'i chwaer fach stiwpid... *Ooooh*, chware teg iddo fo'. Ar y trip cynta un aethon ni i Sw Bryste. Nathon ni gyrraedd y maes parcio, aeth Iwan off i brynu ticed a 'nes i fynd i'r bŵt i nôl y pram... *Good work, Non, nailing it so far*. Wedyn 'nes i gau'r bŵt, sylweddoli bod *central locking* a bo fi newydd gloi y ddau fabi yn y car. *Not so good*. Mae'n iawn, maen nhw'n 22 a 24 rŵan ac yn *fine*, so rhaid bo fi 'di gwella. Ac ar *watch* fi oedd y misglwyf cynta. *Nailed that*, er bo fi'n teimlo'n *shit* achos mai Alison (cyn-wraig Iwan) ddyle fod wedi cael y profiad mam a merch yna, a dwi 'di gorfod handlo cwestiyne am ryw doedd Iwan ac Alison ddim yn eu cael. Pwy sydd isio gofyn stwff fel yna i rieni? Neb. Ond o'n i gam bach yn ôl a jyst 'chydig yn llai crinj ffactor falle? Felly o'n i'n *mega chuffed* eu bod nhw'n teimlo'n OK i ddod ata i am gyngor. Dwn i'm os 'nes i ddeud y pethe iawn. Oes unrhyw un? Ond dwi 'di deud yr un pethe wrth y lleill, so os dwi wedi ffycio fyny dwi 'di ffycio nhw i gyd fyny 'run fath!

Dwi'n ymwybodol iawn bo fi wedi cael profiad mwy neu lai *straightforward* o ran bod yn llysfam, dim dramas, a dwi'n gwybod mai perthynas Iwan ac Alison sydd wedi neud hynna'n hawdd i fi. Mae'r ddau yn rhieni rili dda, a dwi 'di dysgu cymaint am faddeuant, dealltwriaeth a pharch ganddyn nhw. Wrth gwrs, roedd tensiynau ar y cychwyn cynta, ond yn sydyn iawn naeth Iwan, Alison a finne ddechre gweithio gyda'n gilydd a gweithio'n galed ar greu teulu gwahanol i'r plant. Oedd, roedd o'n *awkward*, a weithie dwi'n siŵr doedd yr un ohonon ni ISIO treulio amser efo'n gilydd ond dyna nathon ni, pryde o fwyd a phenwythnosau efo'n gilydd yn hytrach na jyst *drop offs*. Doedd dim un ohonon ni isio i'r plant deimlo fath â bod un cartre ar wahân i'r llall. Ac o ganlyniad mae Meg a Tomos wastad wedi teimlo'n saff a dan nhw 'rioed wedi teimlo bod cariad yn beth sydd wedi lleihau, ond ei fod o'n beth sydd wedi tyfu os rhywbeth.

A thyfu nath y teulu yn 2001 pan gyrhaeddodd Wil John ar ôl dyddie... DYYYYDDIE o drio cael y blydi babi 'ma allan. Pan dwi'n cofio'r dyddie yna yn yr ysbyty mae o'n chware ar fy meddwl i fath â pan dwi'n sgrolio trwy Netflix a ddim rili yn gwybod be dwi yn y mŵd i'w wylio. *Rom com*? Na... *Documentary*? Na... *Science fiction*? Na... *Horror*? Fi oedd y prif gymeriad ym mhob un o'r *genres* yna. Un munud yn cael laff efo Iwan tra oedd o'n neud *crossword puzzles Take a Break* er mwyn trio tynnu'r sylw oddi ar y *gel* oedd yn cael ei insertio i indiwsio'r babi, munud nesa yn cerdded trwy'r coridorau yn desbret yng nghanol y nos, fath â rhywbeth allan o *Shawshank Redemption*, neu well fyth, *Alien*, jyst yn disgwyl i rywbeth *slimy* fyrstio allan o 'nghorff i. Wedyn o'n i 'nôl yn y *rom com* tra o'n i'n y *birthing pool* gydag

Iwan yn gofyn a fysa'r bydwragedd yn meindio tasa fo'n rhoi ei draed yn y pwll, achos roedd ei draed o'n RILI brifo ar ôl yr holl gerdded lawr y coridors 'na... *ARE YOU ACTUALLY FUCKING KIDDING?* A wedyn, ar ôl 'chydig o pethidin, o'n i'n siarad efo un o'n cathod ni oedd yn hedfan o gwmpas y stafell mewn llong ofod. 48 awr yn ddiweddarach 'nes i gael y *go ahead* i ddechre pwsio... chwarter awrish wedyn nath Wil benderfynu troi 'nôl. *I mean, who can blame him?* 'Be? Chi'n disgwyl i fi sgwoshio'n hun lawr y twnnel yna? Dim diolch, mêt, dwi'n *fine* fan hyn.' So... *emergency C-section* oedd hi ar ddiwedd y marathon a daeth Wil allan yn sgwoshd ac yn RILI flin. Chware teg, *I got it...* oedd y profiad yna yn *pretty grim*. A nath o aros yn flin am rai wythnosau ar ôl dod allan, *livid*. *Sheesh* oedd y boi'n gallu crio.

Yn 2004 daeth Jacob Gwyn. Rŵan 'ta, dwi'n teimlo bod rhywun yn rhywle (dwn i'm pwy – y *childbirth fairies* falle) wedi asesu'r enedigaeth ddiwetha a phenderfynu 'mae hon yn haeddu brêc tro 'ma'. Rhywbryd yn ystod yr wythnosau cyn geni Jacs nathon nhw ffeindio bod gen i blacenta *previa*, felly roedd y placenta wedi dechre gorchuddio'r serfics a besicli yn blocio ffordd y babi. Felly ges i gyngor i fynd am *elective C-section*, a do'n i ddim yn *gutted* AM EILIAD!! Diolch, *childbirth fairies*!!!! A jyst fel bwcio apwyntiad gyda'r *hairdresser*, 'nes i a'r *midwife* estyn ein dyddiaduron a ffeindio ffenest fach lyfli am ddeg o'r gloch ar y degfed o Awst. *I mean... that's more like it*, ynde?! Mewn a fi ac Iwan i'r ysbyty erbyn tua

7–8am i gael y tsiecs i gyd, 'nes i actiwali cerdded mewn i'r theatr, a hanner awr yn ddiweddarach dyna lle o'n i ar y ward gyda babi bach newydd, lyfli a hapus. O gymharu efo'r trip diwetha i'r ward mamolaeth efo Wil, oedd hwn yn 5 *star Trip Advisor rating aaaaall day long*.

Wedi deud hynna, dwi yn teimlo dylwn i neud *side-note* fan hyn am *C-sections*. Dwi'n gwybod bod lot o bobol yn meddwl mai'r ffordd hawdd yw *C-section* ac wrth gwrs i ryw raddau mae o'n swnio'n lot haws na'r pwsio ar stresio a'r rhwygo, OND mae'n llawdriniaeth masif ac unwaith mae'r anasthetig wedi mynd mae'n rili *sore*. Dwn i'm os ydi o'n teimlo fel hyn i bawb ond roedd meddwl am sefyll i fyny am y tro cynta ar ôl yr op yn *terrifying*! O'n i jyst ddim yn trystio'r *stitches* i gadw fy mol i at ei gilydd. O'n i'n poeni bod fy nghroth ac fy intestins yn mynd i fflopio allan ar lawr y toilet. Wrth gwrs, dwi'n ddiolchgar ofnadwy bod popeth yn y *lady department* dal yn *intact* ond tydi *C-section* ddim yn dod heb ei ddarne bach *gruesome* ei hun. A 'nes i 'rioed deimlo bo fi heb roi'r ymdrech i fewn i eni'r babis. Blydi hel, o'n i 'di cario nhw o gwmpas am naw mis, rhoi'r gorau i fwyta pate a chael lot o bobol yn ffidlo efo'n *downstairs area* (doctoriaid a nyrsys, jyst i neud hynna'n berffaith glir), felly do'n i ddim yn meddwl am un funud nad o'n i 'di syffro digon!

Yn 2008 daeth Kitty Wyn ar y sin, er doedd hi ddim *officially* i fod yma tan Chwefror 2009. Daeth hi jyst cyn Dolig ar yr ugeinfed o Ragfyr, dau fis yn gynnar. Cwpwl o nosweithie cyn hynna o'n i wedi neud gìg bron dwy awr o hyd mewn parti Nadolig yn y St David's Hotel yng Nghaerdydd. O'n i'n gwybod bo fi ddim yn teimlo'n normal achos fel arfer byswn i wedi dreifio'n hun yna, ond tro 'ma 'nes i ofyn i Iwan ddreifio fi, a gan bod Mam a Dad yn tŷ ni yn gwarchod yr hogiau dwi'n cofio gofyn i Mam,

'Be 'se'n digwydd 'sen i'n cael y babi yma rŵan?'

'Duw, bysat ti'n *fine*.'

Clasic Mam. Erbyn i fi gyrraedd y gìg o'n i'n rili cael trafferth sefyll, a dwi'n cofio deud wrth Rach,

'Dwi'n teimlo'n wel doji.'

'Y McDonald's 'na gest ti oedd o, *I bet*.' Clasic Rach.

Ond 'nes i orffen y set gyda help stôl Westlife bob hyn a hyn. Es i adre, aeth Mam a Dad adre y bore wedyn, ond erbyn y noson honno ges i'r *thing* 'na maen nhw'n ei alw'n *show*. Mae'n cael ei ddigrifio fel 'the expulsion of a thick mucus plug from the cervix.' Hmmm... *show*? *Hardly West End material, am I right?* Ond dal *LOADS* gwell na *Cats*. Off â ni i'r ysbyty ac erbyn i fi gyrraedd o'n i wedi dechre gwaedu yn eitha trwm, felly nathon nhw ddechre injectio fi efo steroids syth bin er mwyn helpu ysgyfaint y babi i ddatblygu'n gynt ac i leihau'r risg o gymlethdodau difrifol. Er i fi orwedd yn llonydd, fel oedd y doctoriaid wedi deud, o'n i'n dal i waedu lot ac yn sydyn iawn roedd pethe'n edrych yn ddifrifol iawn. Dwi'n meddwl i fi fynd yn *numb*. Dwi'n cofio'r llawfeddyg yn esbonio i fi bod hyn ddim yn edrych yn dda a bod posibilrwydd cryf ein

bod ni'n mynd i golli'r babi, ond 'nes i ddim rili credu
fo. Falle mai *denial* oedd hynna ac wrth gwrs o'n i mewn
sioc, ond 'nes i ddim dechre crio, panicio, unrhyw beth.
'Nes i hyd yn oed neud jôc rili stiwpid pan oeddan nhw'n
mynd trwy'r tsiecs cyn y llawdriniaeth. Cwestiynau fel,

'Do you have any dentures?'

'No.'

'Artificial implants, like a hip replacement?'

'No.'

A dyma lle 'nes i drio cracio jôc,

'Hearing aid?'

'Pardon?... I mean, no... sorry, jyst trying to be
funny.'

Achos doeddwn i jyst ddim yn gwybod beth arall i
neud.

Mae Iwan yn briliant mewn crisis, mae o jyst yn cadw
pethe'n rili gynnes ac OK... dim mewn ffordd *annoying*
o *chilled* chwaith, sdim byd gwaeth na rhywun yn deud,
'Mae'n rhaid i ni gadw'n *calm*.' 'Dio ddim yn neud hynna.
Mae o jyst yn dal ati i wenu a bod yn neis. Dim byd dros
y top, dim *gushing* neis... jyst normal. Mae ganddo fo
ffordd anhygoel o neud i ti gredu, beth bynnag sy'n
digwydd, y byddwn ni 'run fath ar yr ochr arall. Dwi ddim
yn siŵr faint o amser aeth heibio rhwng y sgwrs am hyn
ddim yn edrych yn grêt a'r llawdriniaeth... tri chwarter
awr falle? Ond yn ystod yr amser *weird* yna do'n i ddim
yn panicio achos roedd Iwan jyst mor solid. Er bo fi'n
gwybod bod siawns bysa canlyniad y llawdriniaeth a'r

enedigaeth yn *devastating* i ni, roedd gan Iwan ryw fath o nerth anhygoel o *reassuring* y bysen ni'n OK beth bynnag fysa'n digwydd.

Erbyn hyn o'n i'n *seasoned pro* gyda'r op yma – aros yn llonydd i'r *epidural*, aros iddo weithio, tsiecio nad oeddwn i'n gallu teimlo unrhyw beth o'r wast lawr... yna actiwali cadw CREDU bo fi ddim yn gallu teimlo unrhyw beth o'r wast lawr. Maen nhw mor sydyn. Sgynnoch chi ddim syniad be sy'n digwydd gan bod sgrin yn cuddio hanner gwaelod y corff. Chi'm yn teimlo poen o gwbwl, jyst y teimlad rili *weird* 'ma unwaith mae eich bol chi ar agor ac mae'r llawfeddyg yn twrio o gwmpas yn eich abdomen chi. 'Chydig bach fath â bod rhywun yn golchi llestri yn eich croth. Ond o fewn munudau mae'r babi allan ac yn achos Wil a Jacob roedd y waedd gynta yn rhyddhad ac i'w chlywed yn syth bin, diolch byth. Roeddan ni wedi cael ein rhybuddio hyd yn oed tasa'r babi yma'n fyw falle bysa angen help i anadlu arno, felly i beidio â disgwyl bloedd. 'Nes i drio 'ngore i baratoi fy hun am y distawrwydd yna... dychmygu'r gwacter, dychmygu'r golled. Roedd o fel dal fy ngwynt cyn deifio mewn i ddŵr dwfn tywyll, jyst paratoi i oroesi beth bynnag oedd ein ffawd ni yn yr eiliadau, munudau nesa. Ond dyna pryd nath Kitty ollwng y floedd fwya uchel, un fach ond un gref... a nath Iwan a fi anadlu eto efo hi.

'She's here.'

Cyn mynd â hi yn syth i'r High Dependency Unit.

Hang on... MERCH?!!! O'n i'm yn sylweddoli bo

fi'n gallu neud rheina, ond ENIWE, ydi hi'n OK oedd y cwestiwn 'nes i ailadrodd pob deg munud am o leia'r ddwy awr nesa tra o'n i yn *recovery* ac oedd hi yn y Special Care Baby Unit (SCBU). Roedd y staff yn anhygoel. Ges i lun bach ohoni i 'nghadw i'n hapus nes bo fi ddigon da i symud o *recovery* i'r ward, ac ar y ffordd nathon nhw neud *detour* a wîlio 'ngwely i i'r uned arbennig i fi gael ei gweld hi am y tro cynta yn yr inciwbator. Do'n i dal ddim yn cael cyffwrdd ynddi ond dyna lle oedd hi, yn debyg i goconyt, a dim lot mwy na choconyt chwaith. Llond pen bychan bach o wallt du... a lot o weiars. Roedd y dyddie nesa'n *weird* ac roedd hi'n anodd bod ar ward gyda mamau eraill a'u babis, a finne heb fabi wrth fy ymyl, ond *hell's bells* roedd pethe'n edrych lot gwell nag o'n i wedi ofni.

Ar ôl jyst dros fis yn yr ysbyty a dos o MRSA daeth Kitty Wyn adre. Diolch i bawb yn Ysbyty Glangwili, dach chi'n actiwal angylion.

Dwi'n caru babis ond...

Oh my goodness, dwi'n ddiolchgar bo fi wedi gallu cael plant. Dan ni i gyd yn cytuno bod hynna'n *given*, dwi'n meddwl, yn tydan? Dwi MOR lwcus, maen nhw'n wyrth. OND, *OH MY GOD*, mae bod yn fam yn gallu bod yn boring weithie. Mae'r cwpwl o wythnosau, falle'r mis cynta yn *magical*, wel, majic *pretty weird* pan ti'n meddwl amdano fo gyda'r nicers *disposable* a phads ar nipls ti, a'r chwys...

'dio'm ecsactli yn gweiddi Disney Princess, ond dach chi'n methu credu bod y babi 'ma mor biwtiffwl (hyd yn oed os 'dio ddim) a dach chi'n cael showan off lefel nesa bod eich babi chi mor ciwt, ac mae pawb yn dod â phresants a bisgits ac yn nôl pethe i chi. Sdim rili rhaid i chi symud am o leia pythefnos. Mae nains yn neud y golchi i chi, dach chi'n bwyta bwyd M&S lot amlach na'r arfer, mae'n bybl bach o amser blydi lyfli, ond yn fuan iawn mae Nain yn mynd adre ac mae'r *gift bags* efo'r hand crîms a'r bybl baths yn stopio cyrraedd (sy'n *fine* achos *AS IF* dach chi'n mynd i relacsio byth eto), a ie, dach chi'n teimlo'n nacyrd a 'chydig bach yn *smelly* ond mwy nag unrhyw beth dach chi'n gallu teimlo'n rili unig. Ac wrth gwrs, mae grwpiau fath â Mami a Fi neu Amser Stori ayb ond yn bersonol roedd y grwpie yna yn neud i fi deimlo'n fwy unig fyth:

a. Achos dwi'n naturiol yn *socially anxious*. Nath babi ddim newid hynna.

b. O'n i, fel LOT o famau eraill dwi'n siŵr, yn *convinced* bod PAWB arall yn gwybod be oeddan nhw'n neud.

c. Fel canlyniad, o'n i fel LOT o famau eraill yn deud celwydd am ba mor briliant o'n i'n neud.

ch. Dwi ddim yn cyfri eistedd mewn cylch yn gwrando ar stori'n hwyl na hyd yn oed yn therapi. I fi na'r babi. *Who's getting anything out of this?* Jyst y ddynes sy'n darllen y stori?

d. Be dach chi'n meddwl, 'be am roi masâj i'r babi?' Pam bo'r babi angen masâj? 'Dio ddim 'di gwagu'r *dishwasher* unwaith... fi sydd angen ffycin masâj.

Felly fel arfer 'swn i'n gadael y grŵp yn teimlo'n fwy stiwpid a *weird* na phan 'nes i gerdded i fewn. A dwi'n meddwl mai'r broblem oedd o'n i'n meddwl bo fi ddim yn cael bod nac yn cael bihafio fel y Non cyn babis rŵan bo fi'n fam. O'n i i fod i fwynhau gwrando ar storis wedi'u targedu at blant o dan dair blwydd oed pan rili be o'n i isio oedd amser ar fy mhen fy hun i ddarllen *Heat magazine* (a phan dwi'n deud darllen dwi'n meddwl edrych ar y lluniau). Ond roedd pob mam arall i weld yn *fine* eu bod nhw rŵan yn gwisgo 'mam iwnifform' (yn fy achos i, gwisgo fath â *YTS builder*: *T-shirt*, sip-yp hwdi a combats **POB DYDD**), *just about* yn brwsio'n gwalltie ni ac yn siarad am ddim byd arall ond y babis.

O'n i ddim yn mwynhau mynd i'r parc, doedd dim ots gen i beth oedd babis pobol eraill yn bwyta, doedd dim masif ots gen i beth oedd babis fi'n bwyta heb sôn am eu babis nhw, cyn belled â'u bod nhw'n bwyta. Be dwi'n trio'i ddeud ydi, ac mae'n dal i deimlo'n rili wael i'w ddeud o, o'n i jyst yn ffeindio lot o bethe'n rili boring. Mae disgwyl i ni anghofio pwy oeddan ni cyn y babis a dros nos ffeindio **CBBC** a 'rwtîn' yn *awesome*. O'n i'n 27 yn cael y babi cynta, y gwirionedd oedd o'n i'n dal i licio Top Shop, mynd i'r *hairdressers* ac yfed besicli, a rŵan o'n i i fod yn *thrilled* i wisgo Weetabix a phwyntio at hwyaid? A dwi'n gwybod bo fi ddim angen pwysleisio cymaint o'n i'n **CARU'R** babis, ond dwi'n **DAL** i deimlo bo rhaid i fi, achos dan ni ddim yn cael deud y pethe 'ma!

Dan ni'n teimlo'n wael os nad ydan ni'n rhoi

blaenoriaeth i bawb arall achos dyna sy'n neud mam/ rhiant da. O'n i'n meddwl, unwaith o'n i'n fam, bod hynna'n golygu ei bod hi'n amser i fi bacio'r hen Non i mewn i focs a'i rhoi hi yn yr atic efo'r llunie ohoni hi'n pisd yn coleg neu'n gwisgo *crop tops* ar wylie efo'r genod. Achos doedd honno ddim yn fam addas. Roedd hi 'di cael ei hamser. Mae dod yn rhiant yn mynd i'ch newid chi, wrth gwrs ei fod o, a dan ni isio neud popeth i blesio'r bobol bach anhygoel 'ma dan ni wedi'u creu. Ond sdim rhaid anghofio am y bobol bach anhygoel oeddan ni'n arfer bod, nagoes? Dim ond plant rhywun arall ydan ni. Dwi ddim isio i'n plant ni ddechre teimlo eu bod nhw ddim yn bwysig, ac anghofio pwy oeddan nhw, unwaith eu bod nhw'n dechre teulu neu mewn perthynas, so pam ddylen ni?

Plant: gofalu, dim rheoli

Fel mae'r plant wedi tyfu dwi 'di sylweddoli mor bwysig ydi o i fi eu bod nhw'n ein nabod ni fel Non ac Iwan hefyd, pobol yn hytrach na jyst Mam a Dad. A dwi'n meddwl ein bod ni'n lot llai o siom neu yn llai tueddol o bisio nhw off os ydan nhw'n deall ein bod ni ddim rili yn gwybod be dan ni'n neud chwaith. Dan ni jyst yn trio!

Dwi 'di sôn 'chydig am sut dwi wedi dod i nabod Dad yn well ers i ni golli Mam. Dwi'n meddwl nath Mam lot i'n cysgodi ni fel plant rhag y pethe oedd hi'n ofni fysa'n ein brifo ni. Doeddan ni byth yn gweld Mam a Dad yn ffraeo neu'n anghytuno gyda'i gilydd, doedd hi byth isio i ni ei gweld hi'n ypsét neu'n sâl neu'n flin ac yn teimlo'n rhwystredig efo gwaith, neu unrhyw beth fel yna, ac felly 'nes i dyfu fyny yn meddwl ei fod o'n rong i deimlo'r pethau yna, ac yn *disastrous* os oedd Iwan a finne ddim yn cytuno. Rŵan dwi 'di treulio gymaint o amser efo Dad dwi'n clywed pob mathe o straeon am Ann Parry, y person, dim jyst Mam, a doedd hi ddim wastad yn neud y peth iawn, sy'n neud i fi ei charu hi'n fwy, a dwi'n *gutted* bo fi methu siarad efo hi a gadael iddi wybod hynna. Dan ni ddim angen bod yn berffaith, dan ni angen i'r plant weld ein bod ni weithie'n teimlo'n *shit*, weithie'n neud neu ddeud pethe stiwpid ond wastad yn trio neud pethe'n well.

A 'run fath efo'r plant pan maen nhw'n flin neu'n drist neu'n *frustrated*, dwi 'di dysgu i beidio â jyst trio stopio'r teimladau yna. Dyna dan ni isio neud, deud 'paid â crio', 'paid â gwylltio' achos dan ni isio iddyn nhw fod yn hapus drwy'r amser. Ond pan maen nhw'n teimlo'n crap, y cwbwl mae hynna'n neud ydi neud iddyn nhw deimlo'n fwy crap, achos mae'n pwysleisio'r neges bod pob teimlad ar wahân i hapusrwydd yn rong.

A dwi'n casáu o pan mae rhieni yn deud 'oh, mae gyda ni real *moody teenager* yn y tŷ rŵan' fel 'san nhw'n disgwyl i bawb garu popeth am bopeth 24/7. Ydan NHW? *I doubt it.* A *by the way*, mae gan bobol yn eu harddegau LOADS o *shit* yn mynd ymlaen: hormons, orie yn yr ysgol yn dysgu am bethe sy ddim o ddiddordeb iddyn a fyddan

88

nhw ddim eu hangen yn y pen draw, arholiadau, blew, rhyw, gwersi dreifio, *bodily fluids* newydd. Ffycin hel, fyswn i'n mŵdi hefyd, so dan nhw rili ddim angen rhieni a theulu arall yn eu labelu nhw gydag enwau boring a *clichéd* fel 'moody teenager' ar ben hynna i gyd. P.S. sneb yn mynd i deimlo'n llai mŵdi ar ôl cael eu galw'n mŵdi, 'run peth efo 'stopia banicio'. NOT HELPIIIING! Falle bysan nhw lot llai mŵdi os fysach chi'n stopio defnyddio'r label 'mŵdi' neu 'stropi'. Mae *loads* o mŵds i gael, dim jyst hapus, *let's get used to it*. Cofiwch, tro nesa dach chi'n gweld plentyn ar y llawr yn cicio ac yn gweiddi 'dio *probably* ddim yn trio bod yn *arsehole*, 'dio jyst ddim yn gwybod sut i ddeud ei fod o'n teimlo rhywbeth arall ar wahân i hapus.

Dwi ddim yn disgwyl i chi dderbyn unrhyw tips gen i, dwi ddim yn ecsbert ar sut i ddwyn i fyny plentyn hapus, hyderus a chyflawn, OND dwi rhywsut wedi dwyn i fyny plant sy'n hyderus i fod yn onest (ac sy'n hapus, ar y cyfan). A dwi ond rili'n gallu rhoi hynna i lawr i fod yn berson eitha onest fy hun, achos dwi heb neud unrhyw beth clyfar! Dan ni'n aml yn derbyn y neges yma ein bod ni'n gorfod mynnu parch gan ein plant. Wel, deg allan o ddeg i'n plant NI achos dwi'n siŵr oedd o'n strygl i wylio Iwan wedi gwisgo fyny fath â ci inapropriet a finne'n crio achos bo fi ddim yn deall sut i ddefnyddio'r remôt contrôl. Ond maen nhw rhywsut yn ein parchu ni achos dyma'r peth, dan ni'n eu parchu nhw. Maen nhw'n teimlo'n hyderus achos dan ni'n RILI gwrando

arnyn nhw. Heb drio'u trwsio nhw, jyst gwrando a rili
clywed sut maen nhw'n teimlo pan mae unrhyw beth yn
mynd ymlaen. Pan maen nhw'n teimlo ein bod ni jyst
yn gwrando, heb roi hiwj barn ar yr *issue* yn syth, maen
nhw'n teimlo'n fwy relacsd i fod yn agored. Os dach chi'n
neidio i fewn efo:

'PAID Â BOD YN SILI.'

'PAID Â CHRIO.'

'PAID Â BOD YN FLIN.'

dach chi'n bychanu teimladau real iawn, a tydi'r plant
ddim isio bod yn onest eto. Dwi'n siŵr bysa lot yn
anghytuno, ac yn fy ngalw i'n hipi neu'n *woke*, ond y
ffaith yw, dim fi sy bia'r plant, pobol ydan nhw. Job fi
ydi gofalu amdanyn nhw a'u teimladau nhw. Gofalu, dim
rheoli.

Bwni

Yn 2007, cwpwl o fisoedd ar ôl symud i Bridell, ges i
gamesgoriad. Doeddwn i ddim rili'n ymwybodol bod
yna ddiwrnod ymwybyddiaeth neu ddiwrnod coffa
camesgoriad tan blwyddyn diwetha pan weles i'r llunie
o ganhwyllau i gofio'r babis a gollwyd ar Facebook ac
Instagram. Ges i sioc i weld cymaint o deuluoedd o'n i'n eu
nabod oedd 'di cael yr un profiad. Pam nad o'n i'n teimlo
bo fi'n gallu, neu'n cael, neu hyd yn oed isio siarad yn fwy
agored am y profiad yma? Ar yr un pryd ges i bwl ofnadwy
o euogrwydd wrth weld llif o gariad cymaint o ffrindie

at eu babis. Euogrwydd am beidio â rhannu bodolaeth y person bach 'nes i fyw efo fo am ychydig.

Dwi wastad wedi stryglo i siarad am hyn am sawl rheswm rili. Yn gynta, achos mae o mor gyffredin ac mae profiadau lot o bobol yn waeth na'n rhai i, felly dwi'n cofio meddwl ar y pryd nad oedd gen i hawl i deimlo piti drosta i'n hun. Mae 80% o gamesgoriadau yn digwydd yn y 12 wythnos gynta ac mae pobol yn dal i'ch cynghori chi i beidio â deud wrth unrhyw un eich bod chi'n disgwyl babi nes i chi fynd heibio'r *trimester* cynta, felly mae'n neud i rywun deimlo fel eich bod chi bron iawn yn stiwpid i ddisgwyl i bethe fod yn OK. Yn ail, ges i gamesgoriad ar ôl cael dau o blant hollol iach, felly eto, ar y pryd, doeddwn i ddim yn teimlo bod gen i le i gwyno. O'n i'n lwcus. Ond yn fwy na dim, i fi roedd o'n brofiad mor bersonol, a dwi ddim yn meddwl hynny jyst o ran y syniad o siarad yn gyhoeddus am y profiad. 'Nes i ddim rili rhannu fy nheimladau gydag Iwan na'r teulu achos oedd o'n teimlo fel rhywbeth rhyngdda i a'r babi. Dyna'r unig beth o'n i rili'n gallu neud, cadw fi a'r babi gyda'n gilydd trwy fyw hyn, jyst fi a fo neu hi. Dyma'r unig ffordd o'n i'n teimlo o'n i'n gallu diogelu'r babi a'i gadw fo'n sbesial, osgoi troi'r babi'n 'stori drist', trwy gadw'r profiad rhyngddon ni.

Y peth yw o'n i 10/11 wythnos yn colli'r babi. Mae pawb sy'n disgwyl yn gwybod bod y cyfnod yna yn doji, ond mae'r rhan fwya o bobol sy'n gweld lein positif ar y prawf hefyd yn gwybod o'r eiliad yna eich bod chi'n caru'r peth bach yma sydd wedi dechre tyfu. Chi'n dechre meddwl am enwau, tybed sut fyddan nhw'n edrych, lle maen nhw'n mynd i gysgu? Chi'n gweld babis yn y siop neu ddillad babis a chi'n ecseitio. Mae rhywbeth byw ynddoch chi, a chi'n teimlo hynna cyn unrhyw gic. Mae o yna, a chi'n mynd i neud POPETH i gadw'r babi'n saff nes ei fod o allan a bydd pobol eraill wedyn yn gofalu amdano fo hefyd. Ac am y rheswm yna efallai mae'n teimlo fath â mai chi fel y fam sydd wedi gadael y babi 'ma lawr pan mae rhywbeth yn mynd o'i le, achos dim ond chi sy'n gallu ei gadw fo'n fyw. Ar ôl i fi ddechre gwaedu a chael y sgan a gweld bod dim curiad calon bellach, roedd gen i ddewis: cael triniaeth i dynnu'r *foetus*, neu jyst mynd adre a gadael i natur neud ei *thing*. A dyna 'nes i benderfynu neud, mynd adre efo'r babi.

Dwi'n meddwl mai dyma'r cyfnod pan o'n i isio cadw'r babi i fi fy hun. 'Nes i orwedd yn y gwely am gwpwl o ddyddie yn trio cadw fi a'r babi efo'n gilydd mor hir ag o'n i'n gallu. Er bod dim gobaith, o'n i'n dal i feddwl bod rhyw wyrth yn mynd i newid popeth. Mae o dal wedi bod yn strygl i deipio 'babi' cymaint o weithie achos am ryw reswm dwi'n teimlo nad oes gen i hawl i'w alw fo neu hi'n fabi. A dim ond ar y noson yna, yn edrych ar Facebook ac Insta, a gweld pawb arall yn cofio'u babis nhw 'nes i deimlo bod gen i hawl ac yn dawel bach, mewn llofft fach ar fy mhen fy hun, 'nes i oleuo cannwyll a siarad gyda'r babi a gaddo'i fod o'n cael cysgu efo jyst fi drwy'r nos fel oedd Wil, Jacob a Kitty wedi cael neud. Be dwi 'di sylweddoli yw bo fi rŵan yn teimlo'n euog iawn am beidio cydnabod i lot o bobol bod y babi yma wedi bodoli, ond falle mai dim ond rŵan dwi isio rhannu'r babi yma gyda phobol eraill. Ac wrth gwrs, 'swn i heb golli'r babi yna, fysa dim Kitty ac mae hynna'n creu math arall o euogrwydd. Dwi mor falch bod Kitty yn y byd. Ond oedd rhaid colli'r babi yma er mwyn ei chael hi?

Yn aml iawn dwi'n teimlo bod cysylltiad cryf rhwng y babi yna a Kitty. Daeth Kitty i'r byd y flwyddyn ganlynol, dau fis yn gynnar, ac o fewn yr un wythnos 'nes i golli'r babi, sy'n eitha sbwci. 'Nes i ddim enwi'r babi tan y noson yna flwyddyn ddiwetha yng ngolau'r gannwyll. Os chi'n enwi rhywun maen nhw'n fwy real, yn tydan? Falle mai dyna pam 'nes i osgoi neud hynna? Un o'r *pet names* dwi wedi galw pob un o'r plant pan oeddan nhw'n fabis ydi 'bwni'. A daeth hynna'n naturiol tra o'n i'n siarad efo fo neu hi y noson honno. So be mae Bwni wedi dysgu i fi fysa'n gymorth neu'n gysur i rywun arall?

Y rheol 12 wythnos

Er bo fi wedi deud wrth bawb bo fi'n disgwyl babi o'r cychwyn cynta, mae lot o rieni'n dal i ddilyn yr hen gyngor i beidio â rhannu'r newyddion da rhag ofn iddo droi'n newyddion drwg.

Y cwbwl mae hynna'n neud ydi awgrymu bod pobol ddim isio clywed newyddion drwg ac mae'n cadw rhieni rhag estyn am gysur a chefnogaeth gan deulu a ffrindie.

Ac mae'n ychwanegu at y teimlad yna eich bod chi wedi methu mewn rhyw ffordd. Unwaith i fi golli'r babi 'nes i fynnu mai fi oedd yn ffonio pawb i ddeud wrthyn nhw. Do'n i ddim isio teimlo fel tasa pobol yn sibrwd ac yn teimlo'n lletchwith o 'nghwmpas i. Mewn ffordd, o'n i isio'i neud o'n haws i bawb arall, sy'n stiwpid, ond hefyd o'n i isio clywed fy hun yn deud y geirie ac isio'i neud o'n real.

Mae pobol yn gallu deud pethe heb drio bod yn stiwpid, ond os dach chi wedi meddwl 'rioed be ddylech chi beidio deud wrth rywun ar ôl camesgoriad, dyma nhw:

'Doedd o jyst ddim i fod.'

'Tybed os nest ti neud gormod?'

'O leia ti'n gwybod bo ti'n gallu beichiogi.'

'O leia ti'n gwybod bo ti'n gallu cael plant.'

'O leia mae plant iach gyda ti'n barod.'

'Mae popeth yn digwydd am reswm.'

'Gallwch chi wastad drio eto.'

Pethe gwell i'w deud:

'Dwi'n rili sori.'

'Sut wyt ti'n teimlo?'

'Os wyt ti isio rhannu'r stori 'sen i'n rili licio gwrando.'

'Dwi'n siŵr eich bod chi'n teimlo'n *shit*. Dach chi'n anhygoel a dan ni'n caru chi.'

Peidiwch â bod ofn dal ati i ofyn sut maen nhw. Gwnewch o'n haws i bobol siarad. Mae pobol yn gallu osgoi siarad efo'r rhieni rhag ypsetio nhw ond yn aml mae rhieni yn falch i gael y cyfle i rannu ac i siarad am y babi. Os ydan nhw'n enwi'r babi defnyddiwch yr enw.

Dwi'n falch i allu siarad am y profiad ges i efo Bwni, a dwi'n falch bod Bwni wedi rhoi'r cyfle i fi allu trio helpu pobol eraill i deimlo'n OK am fod yn agored am gamesgoriad.

Diolch, Bwni x

Nos Sul

Canran isel iawn o bobol, dwi'n meddwl, sy'n osgoi y teimlad *sinking* horibl yna o tua 5pm ymlaen ar ddydd Sul! Mae *theme tune* yr *Antiques Roadshow* yn ddigon o driger i yrru fi off ar *downward spiral* yn eitha sydyn. Yyyyyyyyyych, gwaith cartre, gwely'n gynnar, 'fun's over, kids', mae nos Sul yn *GROSS*. O'n i'n casáu nosweithie Sul fel plentyn, dwi'n eu casáu nhw fel oedolyn. Hyd yn oed os na fyswn i'n eu casáu nhw rŵan mae 'mhlant i'n eu casáu nhw ac yn fy llusgo i lawr efo nhw. Dwi 'di gwylio nhw'n dechre hyffian a pyffian a falle dechre plannu hedyn am ddolur gwddw pob nos Sul ers iddyn nhw ddechre'r ysgol. Ac *as if* bo fi ddim yn casáu nos Sul digon beth bynnag, mae'r rhain yn disgwyl i fi neud rhywbeth am y peth! Dwi ddim hyd yn oed yn cael teimlo'n sori drosta i'n hun, achos dwi'n gorfod gwylio dioddefaint y plant, a phan dwi'n deud gorfod, dwi wedi trio eu hanwybyddu nhw ond mae'n amhosib achos maen nhw RILI isio i ni weld pa mor *miserable* dan nhw. Maen nhw'n neud yn siŵr o hynny. A drost y blynyddoedd dwi 'di trio bod yn ypbît, er gwaetha'r ffaith bo fi'n teimlo'r un mor *bleeergh* am crapi nos Sul. A'r peth ydi sdim byd chi'n ddeud wrth y plant yn newid eu hagwedd nhw eniwe, dan nhw ddim isio teimlo'n well. Maen nhw rili jyst isio i chi ddeud, 'sdim rhaid i ti fynd i'r ysgol', dyna'r *bottom line*. Dwi 'di trio'r clasics i gyd:

'Ond bydd o'n lyfli gweld ffrindie, ac maen nhw rili isio gweld ti!!'

'Dim ond chwech awr allan o ddau ddeg pedwar ti yna, ac mae *chunks* mawr o hynna'n amser chwarae.'

I rai llai *comforting* fel hyn:

'Wel, os ti ddim yn mynd i'r ysgol gei di byth swydd a fydd gen ti ddim arian byth a dim cartre.'

'Wel, os ti ddim yn mynd, bydda i'n mynd i'r carchar a fydd neb yma i edrych ar dy ôl di.'

Peidiwch â thrio cocsio eich bod chi heb ddeud pethe tebyg. Mae ugain mlynedd ers i fi gael y plentyn cynta, so dwi 'di bod yn byw'r *shit* wythnosol yma lot rhy hir i boeni eich bod chi'n fy marnu i. OND os dach chi ddim yn barnu ac yn diodde yr un 'cheer up', pawb' marathon pob nos Sul, dyma rywbeth nath weithio i ni. Sgwrs rhwng Kitty a fi ar nos Sul:

'Be sy'n bod, Kit?' (*As if* do'n i ddim yn gwybod!!)

'Dwi'n casáu nos Sul, dwi'n dechre stresio am yr ysgol.'

'OK... oes rhywbeth arbennig ti'n stresio allan amdano? Ti 'di neud gwaith cartre, do? Ffrindie ti'n OK?'

'Ie, ma popeth yn OK RŴAN. Ond dwi'n gwybod neith rhywbeth ddigwydd dwi ddim yn mynd i licio.'

'So, ti'n teimlo'n crap rŵan am rywbeth sydd dim ond falle yn mynd i ddigwydd?'

'Dwi'n gwybod neith o deffinetli digwydd rhywbryd fory. Rhywbryd fory dwi'n mynd i gasáu bod yn yr ysgol.'

'*Fair enough.* So ti'n teimlo'n crap am rywbeth ti'n eitha sicr sy'n mynd i ddigwydd fory. Ond tan hynna sdim rheswm i ti deimlo'n crap, sneb arall yn neud i ti deimlo'n crap heno, jyst ti. So pan mae'r peth yma yn digwydd fory dwi'n rhoi 100% caniatâd i ti deimlo'n crap, *go for it*, digon teg, OND tan hynna, ti'n y lle ti isio bod efo'r bobol ti isio bod efo, so ar hyn o bryd dewis ti 'dio i deimlo'n crap.'

A nath hi ddechre gwenu, falle achos 'nes i ddeud 'crap' LOT o weithie, ond dwi'n meddwl bod plant yn gwerthfawrogi *time slot* i deimlo'n *shit*, ofnus, trist, blin, rhwystredig, beth bynnag yw'r emosiwn. Dwi'n meddwl bod y ffaith bo fi wedi osgoi deud: 'Ti ddim yn mynd i deimlo'n rybish fory,' a deud: 'OK, ti'n mynd i deimlo'n rybish... OND dim eto,' wedi neud iddi deimlo bo fi wedi clywed a deall a chredu bod y teimladau yma yn real ac yn bwysig iddi.

Fel dwi 'di deud, dwi'n teimlo bod rhaid i ni roi caniatâd i'n plant ni deimlo'n crap weithie ac osgoi trio gwthio teimladau negatif allan o'r golwg. Ond hefyd dwi'n meddwl bod rhaid rhoi'r cyfrifoldeb iddyn nhw i ddechre rheoli eu hemosiynau ac esbonio bod lot o ffactorau allanol all effeithio'n mŵds ni, pethe fedrwn ni ddim eu rheoli, ond ar y llaw arall mae yna lot y medrwn ni ei reoli y rhan fwya o'r amser rili. Felly, peidiwch â sbwylio dydd Sul yn poeni am ddydd Llun.

Iselder

Weithie, os dwi'n lwcus, dwi'n gallu gweld cysgod iselder ar ei ffordd i fy mygio a pharatoi rhyw fath o *self defence* meddyliol, cwpwl o *karate chops* o ioga, rhedeg, bwyta'n well, gorffwys. Ond weithie mae o'n dod o nunlle. Dyna lle ydw i, yn hollol hapus, ond fel *mugger* sy'n cuddio rownd y gornel, mae iselder yn fy lampio i drost fy mhen, yn pwsio fi i'r llawr a chymryd popeth sydd gen i. Hapusrwydd, positifrwydd, chwerthin, caru, creadigrwydd, POPETH. Yn sydyn mae lliw gwahanol i'r byd, mae'r sŵn yn wahanol. Dwi ddim isio clywed cerddoriaeth, dwi ddim isio gwylio'r teledu, dwi ddim isio gweld wynebau, dwi ddim isio gweld fy ngwyneb i. Dwi methu neud unrhyw beth: ateb tecsts, e-bostio, siarad, mae popeth yn rhy anodd. Wel, na, yn waeth na hynna, mae popeth yn amhosib. Dwi ddim yn drist, dwi ddim yn crio, dwi'n wag ac ar goll ac mae popeth yn ddiarth ac yn sgêri. Mae gadael y tŷ yn teimlo'n amhosib, ond wrth gwrs, gyda gwaith, a thri o blant sydd angen mynd i wersi nofio neu noson rieni o 'mlaen mae'n rhaid gneud, a dwi yna yn gorfforol, ond dwi ddim YNA. Dwi rhywle ar wahân i bawb o 'nghwmpas i, mewn bybl sy'n amhosib i'w bopio. Mae'r iselder yn teimlo'n drwm, mae'n teimlo'n fudur, mae'n teimlo'n *permanent*. Does gen i ddim lot i'w ddeud am iselder achos pan mae o gen i dwi ddim rili'n teimlo.

Diflannu

Pan dwi'n cael pwl o iselder neu orbryder gwael dwi isio diflannu. Dwi ddim yn meddwl am neud unrhyw beth gwael i fi fy hun rili, dwi jyst isio peidio bod. Dwi'n dychmygu dreifio a dreifio nes bo fi'n rhedeg allan o betrol, fi a'r car, mynd a mynd nes bod dim byd ohona i ar ôl. Dim er fy mwyn i ond er mwyn pobol eraill. Mae'r llais yn deud mai dyna fysa ore, er mwyn pawb arall, achos mae pawb arall yn *bored* o ddelio gyda'r *swings* yma.

Yn y cyfnode yma dwi jyst wedi blino, blino arna fi fy hun, blino bod yn fi a blino gorfod paffio efo fy mhen i. A tydi o ddim yn adlewyrchiad ar y bobol dwi'n caru, dwi isio diflannu achos dwi ddim isio iddyn nhw orfod diodde gwylio fi, a gorfod trio pigo fi fyny eto ac eto. Mae'n *exhausting* i baffio'r teimlad a phob tro mae'n digwydd chi'n trio atgoffa'ch hun eich bod chi wedi bod fan hyn o'r blaen, a wedi bodoli, heb ddiflannu, ond mae'n anodd. Yr unig beth i neud ydi aros iddo basio.

Teimlo'r teimladau, meddwl y pethe mwya horibl a jyst credu nawn nhw basio. Ond mae'n anodd. Er bo fi 'di bod yma o'r blaen dwi'n anghofio sut 'nes i dynnu'n hun o 'na. Ac mae'n *suffocating*, mae o fel boddi a dwi'n paffio i anadlu a weithie mae'r llais yn deud, 'jyst stopia baffio, jyst gad i fi ennill, jyst stopia anadlu, mae'n hawdd, jyst stopia'.

Wrth gwrs, pan ti'n meddwl am ddeud wrth rywun bod ti'n meddwl y pethe 'ma mae'n swnio'n ridiciwlys, a horibl a hunanol, felly mae'r cywilydd yn stopio ti. Hefyd dwi ddim isio rhoi'r cyfrifoldeb ar y bobol dwi'n caru i feddwl bod rhaid iddyn nhw 'nghadw i rhag diflannu. Poeni am ddeud y peth rong, deud gormod, dim deud digon. Be dwi 'di dysgu i neud erbyn hyn ydi jyst deud y geirie allan yn uchel wrth rywun, 'dwi isio diflannu', 'mae o'n digwydd eto, mae'r llais yn deud wrtha i i fynd'. Mae hynna'n neud dau beth: mae'n anablu'r llais rhywfaint, ecsbosio fo, a 'dio ddim yn licio hynna, ac mae rhywun arall yn clywed y geirie a nawn nhw ddeud wrtha i i beidio gwrando ac i aros. Am flynyddoedd o'n i'n meddwl ei fod o'n rhy *terrifying* i'w ddeud allan yn uchel, ac yn rhy *terrifying* i unrhyw un fy nghlywed i'n ei ddeud, ond rŵan dwi jyst yn deud wrth Iwan neu'n chwaer neu ffrind, achos y peth peryg, y peth RILI *terrifying* yw peidio deud. Dwi'n methu diflannu unwaith dwi wedi deud wrth rywun achos nawn nhw ddim gadael i fi.

Peidiwch â chadw cyfrinach y llais 'ma sy'n deud y bysa'r byd yn well hebddoch chi, achos 'dio jyst ddim yn wir. Ac mae'n well gan pawb dwi'n nabod glywed fi'n deud 'dwi isio diflannu' na deffro i ffeindio bo fi actiwali wedi diflannu. So os dach chi'n teimlo fel fi weithie, jyst arhoswch a jyst dudwch wrth rywun. Ac os ydi'r teimlad yn dod 'nôl, dudwch wrthyn nhw eto. Y mwya dach chi'n ei ddeud o allan yn uchel y lleia mae o'n swnio fel syniad da. Ac os ydi rhywun yn deud wrthoch chi eu bod nhw isio diflannu peidiwch â phoeni am ddeud y peth anghywir. Cwbwl dach chi angen deud rili ydi 'paid â mynd' a chadwch y drws yn agored i'r person yna allu ei ddeud o eto os oes yna dro nesa.

31.03.21
Heddiw dwi isio diflannu

Dwi yna heddiw, yn y lle dwi isio diflannu. Mae hi'n ddydd Mercher a nath o gyrraedd nos Sul. Mae'r llais wedi bod yn deud wrtha i i fynd. Mae Eden newydd ryddhau fideo newydd a dwi methu edrych arno fo. Dwi methu edrych ar unrhyw luniau ohona i achos dwi methu cael gafael ar y Non yna rŵan ac mae'n brifo i edrych arni hi. Dwi ddim yn adnabod hi. Dwi methu edrych ar Instagram na Facebook na'r teledu achos mae popeth yn fy atgoffa i bo fi ddim yn y lle yna efo pawb arall dim mwy. Dwi 'di mynd i'r lle arall. Dwi yn y bybl. Mae tecst gan Emma ar y ffôn ers ddoe sy'n deud, 'gobeithio ti'n OK a wedi cysgu'n OK' a dwi methu ateb achos yr ateb go iawn ydi, 'dwi isio diflannu, jyst dim bod. Dwi ddim isio i chi orfod gweld fi eto.' Dwi methu dychmygu chwerthin a siarad a neud cynllunie gyda hi na Rachael na Caryl nac unrhyw un o'n ffrindie, achos dwi methu gweld y golau eto.

Dim gair o gelwydd, jyst fel o'n i'n gorffen sgwennu'r frawddeg ddiwetha 'na mae rhywun o Radio Cymru newydd drio ffonio. Wrth gwrs, 'nes i ddim ateb y ffôn, ond ges i neges yn gofyn i fi neud cyfweliad mewn pythefnos ac ar hyn o bryd dwi methu dychmygu gallu siarad efo'n ffrindie heb sôn am siarad ar y radio. Maen nhw isio i fi siarad am Eden, cynllunie a sut byswn i'n treulio'r diwrnod delfrydol os bysa unrhyw beth yn bosib. Heddiw mae edrych yn y drych a jyst siarad yn amhosib. Ar y funud yma byswn i'n hapus i jyst gallu peidio teimlo am ddiwrnod, peidio teimlo a pheidio bod.

11.04.21
Dwi 'nôl

Mae hi'n fore dydd Sul lyfli braf. Dim ond deg diwrnod sy 'di mynd heibio. A dwi newydd orffen y cyfweliad yna ar Radio Cymru. Heddiw dwi ddim yn rili nabod y Non arall yna oedd isio diflannu. Mae hi'n swnio'n gyfarwydd ond eto dwi methu teimlo'r teimladau yna rŵan. Jyst fel o'n i methu dychmygu chwerthin a siarad a sbio ar bobol, heddiw dwi methu dychmygu peidio. Mae'n amhosib yn y dyddie tywyll yna i gredu ei fod o'n mynd i basio eto ond dwi'n ddigon lwcus i'w weld o fan hyn yn ddu a gwyn.

Peidiwch â diflannu, mae'r teimlad yn mynd ac mae

pethe'n mynd i fod yn dda eto rownd y gornel, neu o leia yn OK eto.

Oh, a gyda llaw, rhag ofn eich bod chi'n wyndro sut byswn i'n treulio diwrnod delfrydol:

'Nes i ddewis mynd i siopa am ddillad mewn car bŵt sêl efo Gok Wan cyn neidio ar awyren i Ibiza efo Gok i yfed margaritas a byta *chips* ar *sun loungers* drwy'r pnawn.

Cân i Gymru

Y rhaglen *Cân i Gymru* gynta o'n i'n rhan ohoni oedd yr un gyda'r foment eiconig pan nath Iwcs rwygo'r siec. O'n i yna. Os dach chi'n rhy ifanc, neu falle ddim yn ffan o *CIG* (pam?), nath Iwcs a Doyle ennill gyda'r gân 'Cerrig yr Afon' 'nôl yn 1996 a phan nath Nia Roberts gyflwyno'r siec am £5000 falle, nath Iwcs rwygo hi fyny! *Awesome! Those were the days!* Dyma'r dyddie *pre* cyfryngau cymdeithasol pan oedd pobol jyst yn gwylio'r actiwal gystadleuaeth yn lle gwylio'r nobs ar Twitter yn fentio'u *personal hangups* at bobol sydd ar ddiwedd y dydd... jyst wedi sgwennu cân... neu jyst yn canu cân. *Calm down* @rhysshittycomment. Be dwi'n meddwl dylen ni neud ydi rhoi cornel bach i Iwcs, nesa at Trystan ac Elin, i gymryd yr *haters* i lawr gydag ambell 'ty'd 'laen, anghofia'r straen, *dickhead'*.

Beth bynnag, dwi wedi bod yn rhan o *CIG* mewn rhyw ffordd neu'i gilydd LOT o weithie drost y blynyddoedd. Dwi 'di perfformio caneuon drost y cystadleuwyr, ennill unwaith i un ohonyn nhw, profeidio'r *half time entertainment*, canu LOT o'r lleisiau cefndir a bod ar y panel ddwywaith. Dwi weithie'n meddwl dylwn i gael rhyw fath o fedal *lifetime achievement* neu *services to CIG*. Dwi'n feteran, *survivor*. Ac os ga i fynd 'nôl at y rant am ddwy funud, 'di bod yn rhan o *CIG* ddim yn blydi *walk in the park* i bobol sy'n gweithio ar y rhaglen. Ond i'r bobol sy'n perfformio mae fath â'r *Hunger Games*. Dach chi'n canu'n fyw ar raglen fyw, sydd besicli ar y teli erbyn hyn er mwyn i bobol wylltio ac i slagio popeth off. Mae fath â *blood sport*. Fel dyddie'r *gladiators* (dim yr un efo Wolf a Hunter), y *gladiators* go iawn, yna o flaen y gynulleidfa yn aros i gael eich rhwygo'n ddarne! Os dach chi, fel fi, ddim yn ddigon talentog i sgwennu cân, ond jyst i'w chanu hi drost y cyfansoddwyr, mae gynnoch chi dair munud ish i beidio neud *complete car crash* allan o'r caneuon maen nhw'n eu caru fath â plant ac yn gobeithio neud swm eitha lyfli o arian ohonyn nhw. Mae'r pwysau'n real. A chi ddim wastad yn licio nhw, y caneuon na'r cyfansoddwyr... (ie, dwi'n gwybod dwi'n swnio fath â hypocrit ond dwi ddim yn plastro hynna drost Twitter, ydw i? Dwi wastad yn rhoi fy *best shot* i bob un, OK...)

Yn yr hen ddyddie doeddach chi ddim rili yn cael deud lot am be oeddach chi'n wisgo chwaith. Oeddach chi mwy neu lai yn troi fyny ac yn cael eich tywys at reilen eitha *daunting* o ffrocie eitha *daunting* a phigo'r un oedd yn neud i chi fod isio crio 'chydig yn llai na'r lleill. So, chi'n sefyll ar y llwyfan yna yn gwybod bod miloedd o bobol yn trio meddwl am rywbeth ffyni i'w ddeud amdanach chi tra eich bod chi'n trio peidio neud absoliwt smonach o gân rhywun arall mewn dillad sy falle'n *questionable*. Dallt be dwi'n feddwl am y medal *thing* rŵan? 'Dio ddim yn hawdd, *folks*! Ond *love it or hate it* mae o dal yma a dwi methu helpu CARU *CIG*, mae 'di rhoi lot o waith a lot o brofiad i fi. Roedd yr *after show parties* arfer bod yn epic. *Raucous*, *scandalous*, swnllyd, *all nighters* anhygoel gyda'r *big guns* i gyd! *Fun, fun times*.

Felly mae'n *inevitable* bo fi hefyd 'di bod yn rhan o *CIG* yn ystod cyfnodau personol tywyll. Yn 2006 o'n i'n un o'r perfformwyr oedd yn canu cân dros y cyfansoddwr, ond y noson cyn y gystadleuaeth ges i alwad ffôn i ddeud bod Mam yn *intensive care*. Dwi'n deall y bysa unrhyw un call wedi meddwl, wel... *no brainer*, ti ddim yn neud *CIG*, ti'n mynd i'r ysbyty at dy fam ond:

a. Doedd y teulu ddim isio i fi beidio cymryd rhan.

b. Doedd dim plan B i'r cyfansoddwr, druan, na'r cwmni teledu.

c. Do'n i ddim yn gwybod be ffyc oedd yn mynd ymlaen!

So, 'nes i ffonio fy llinell 999 bersonol i, Caryl, a nath hi jyst cymryd drosodd. Roedd hi'n mynd i ddreifio fi i'r gystadleuaeth, aros efo fi, dysgu'r gân os oedd rhaid iddi ei chanu hi drosta i, a chadw mewn cysylltiad gyda'r ysbyty. Os oedd unrhyw newid, *I was to be out of there* mewn tacsi, tasa rhaid. O'n i ar awtopeilot gyda Caryl yn meddwl am bopeth drosta i. O'n i'n hollol, HOLLOL *numb*. Ond fysach chi 'rioed wedi sylwi ar y llwyfan. 'Nes i neud popeth, rhoi popeth a chadw popeth gyda'i gilydd, diolch i Caryl. Ac unwaith y cyfrwyd y pleidleisiau, a doedd y gân honno ddim yn y *top three*, nath Caryl fy nreifio i yr holl ffordd o Bort Talbot i Ysbyty Glan Clwyd ac yn syth at Mam.

Dwi dal yn stryglo â'r penderfyniad i gario mlaen efo'r perfformiad yna ar *CIG*. Erbyn heddiw mae pobol yn lot mwy hyderus am osod *boundaries*, am ofalu amdanyn nhw'u hunain yn lle meddwl bod rhaid plesio pawb arall. A fel aelod oes o'r *people pleasing brigade* dyna yn union o'n i'n neud y noson honno. Plesio pawb arall, gan gynnwys Mam a'r teulu, trwy neud yr holl 'show must go on' *thing*. A dwi ddim yn beio unrhyw un arall ar wahân i fi fy hun, dim y cwmni teledu, dim y teulu, dwi jyst yn cwestiynu a fysa Non heddiw yn neud yr un peth. Mae'n hawdd gyda'r *hindsight* o wybod y daeth Mam allan o *intensive care* i feddwl, 'Wel, *no one died*', ond bysa pethe wedi gallu cymryd tro hollol *awful* a'r peth ydi dwi'n dal i deimlo'n crap er bod popeth wedi gweithio allan yn OK.

Do, 'nes i ddysgu bo fi'n gallu neud pethe rili anodd y noson yna, ond er mwyn pwy? Pawb arall ond fi? Dwi'n araf bach yn dechre teimlo'n OK i ddeud, 'na, dwi ddim yn mynd i neud hynna' ac i atgoffa fy hun mai nid fy job i ydi cadw pawb yn hapus. Dwi wedi dysgu i ddatgysylltu fy hun oddi wrth deimladau pobol eraill pan dwi angen gneud hynny. Mae o i fyny i bobol eraill sut maen nhw'n ymateb os dwi'n deud, er enghraifft, 'dwi ddim yn gweithio ar benwythnosau' neu 'fydda i methu neud y parti, sori' os ydi'r parti'n mynd i neud fi'n *anxious* i gyd. Os ydi'r bobol yna'n flin efo fi, wel, OK, ond yn fwy aml na pheidio, tydan nhw ddim. Fi, ar ochr arall y ffôn, sy'n creu *scenario* gwaeth yn fy mhen. Mewn ffordd dwi ddim mor bwysig iddyn nhw â dwi'n meddwl! Ond mae'n rhaid cofio bo fi'n ddigon pwysig i fi. Ac mae o MOR bwysig i amddiffyn fy iechyd meddwl fy hun.

Ymlaen â ni i 2019 pan ges i alwad i gymryd rhan yn *CIG* eto. Nath y penderfyniad sydyn, 'ie, *fine*, *no big deal*' yna droi allan i fod yn *life changing*! Pwy 'sa'n meddwl, e?! *CIG changed my life!* So dyna lle o'n i yn paentio llofft un o'r plant pan ges i alwad ffôn yn gofyn a oedd gen i ddiddordeb mewn bod ar y panel sy'n dewis yr wyth cân derfynol. Mae gen i deimlad bod rhywun arall wedi tynnu allan munud ola achos dim ond cwpwl o ddyddie oedd yna tan y job. Ac mae hynna'n *fine*, mae'n digwydd trwy'r amser. Ond dwi'n siŵr, fel yn achos lot o bobol eraill yn y job 'ma, bod yr *ego* yn gofyn, 'tybed pwy oeddan nhw RILI isio?' Ond *who cares*? Gwaith 'dio, briliant! Y drafferth efo fi ydi bod pethe munud ola yn rili ffrîcio fi allan. Dwi wastad yn licio meddwl bo fi'n *spontaneous* achos mae pobol *spontaneous* yn secsi. Un o'r gang cŵl 'ffyc it, ie! *Count me in! What's the worst that can happe*n?' Na… na, dwi ddim. Dwi yn y gang, 'OK, beth am neud list o bethe gall *potentially* fynd o le? *Because, the worst will probably happen.*' Felly er mwyn neud unrhyw beth tu allan i tŷ ni mae'n rhaid i fi ddechre paratoi am y *scenarios* yma yn fy mhen am sbel cyn y digwyddiad er mwyn i fi edrych yn *kind of normal* ERBYN y digwyddiad!

Gyda chwpwl o ddyddie cyn mynd i Gaerdydd i aros mewn... DY DY DYYYYY... GWESTY. Ar fy mhen fy hun, a siarad efo lot o bobol. Eto dwi'n sylweddoli bod hynna'n swnio'n blydi lyfli i lot o bobol, ond dwi hefyd erbyn hyn yn deall mai dim bai fi 'dio!

Ar y panel efo fi oedd Ryland Teifi, Geraint Lövgreen a Kizzy Crawford a dyma oedd yn mynd trwy 'mhen i tra bo fi'n eistedd yn y stafell efo nhw: Ryland Teifi, absoliwtli gorjys o ddyn, alla i actiwali ddim meddwl am unrhyw un mwy clên. O'n i wedi cyfarfod ag o sawl gwaith, 'what's the big deal here, Non?' Ond dim y Non *rational* oedd yn y stafell, roedd Mr Llais yna hefyd yn deud, 'Ryland Teifi, neisiach na ti, mwy talentog na ti, actiwali yn gwybod am be mae o'n siarad – dim fel ti – ac mae o'n wyndro (fel pawb arall), pam ti yma?'

Geraint Lövgreen, OK mae o yn *big deal*, lejynd cerddorol Cymraeg ac yn gwybod ei *shit*, ar ben hynna tad Mari Lövgreen so paid â thrio bod yn ffyni achos mae hi'n fwy ffyni.

Kizzy Crawford. Lle dwi'n dechre? Moooor lyfli a *gentle* a thalentog a chlyfar a cŵl. *Oh* ac ifanc, so, yn gwybod lot mwy na ti *in general* am bopeth. 'Pam ti ddim fel hi, Non?'

A finne? Y cwbwl sy gen i ydi stiwpid. Dwi'n bedwar deg rhywbeth, yn has bîn aelod o *girl band* sydd ddim hyd yn oed yn sgwennu caneuon eu hunain. Ie, dwi 'di bod ar tua 89 *Cân i Gymru*, dwi 'di neud bvs, unawdau, ennill, POPETH ar wahân i weithio camera a sgwennu ACTIWAL CÂN I GYMRU. SO, PAM DWI YMA?!!!

Y llais – 'achos doedd pwy bynnag oedd i fod yma yn wreiddiol ddim yn gallu, Non... *We've been through this.*'

Yn gymdeithasol, gyda'r gorbryder, dwi'n gallu mynd un o ddwy ffordd: un ai yn rili dawel a *wallpaperish* NEU yn *hyper* Non, yn fwy Non na sydd angen! Siarad gormod, siarad yn rhy uchel, siarad cyn meddwl, deud pethe dwi ddim rili'n meddwl. Mae'r gorbryder yna yn pwmpio *way* gormod o adrenalin o gwmpas y system a dwi'n teimlo'n eratic – dwi ddim hyd yn oed yn sicr os ydi o'n amlwg i bobol eraill ond mae 'mhen i'n swnllyd ac mae 'nghorff i'n teimlo allan o bob rheolaeth. Erbyn y cyfnod yma, o'n i'n gwybod gyda gwaith y bysa'n rhaid i fi gymryd meddyginiaeth arbennig i slofi'r adrenalin (*beta blockers*) ond doeddwn i ddim wedi cael amser i drefnu eu bod nhw ar gael gyda'r doctor, ac roedd gwybod bod y *crutch* yna ddim gen i yn neud y sefyllfa'n waeth. Fel rhywun ag asthma yn sylweddoli bod y pwmp ddim efo nhw yn ystod *asthma attack*. Ac mae pawb yn y stafell yn edrych fel 'san nhw mewn *slow motion* tra eich bod chi'n mynd can milltir yr awr ar y tu fewn ac yn trio edrych yn 'normal'.

Mae pethe bach fath â the a choffi a bisgedi hefyd yn gneud y sefyllfa'n waeth. Maen nhw wrth gwrs *on tap* ar ddiwrnod fel yna, a chi isio nhw achos maen nhw'n rhyw fath o gysur, ac mae pawb arall yn yfed te a choffi ac yn byta bisgits a chi isio edrych fel pawb arall, felly chi'n yfed y blydi coffi ac yn byta'r blydi bisgits ac mae'r siwgr a'r caffîn yn cymysgu efo'r adlrenalin ac mae pethe'n mynd o ddrwg i waeth. Dwi'n gwybod bo fi'n siarad am de a *custard creams* wrth ddewis caneuon i *CIG* fan hyn, sydd ddim yn swnio yn ecsactli *hardcore class A cocktail binge backstage* yn Glastonbury, ond i fi roedd o *genuinely* yn teimlo fath â trip *going horribly* ar y pryd!

Roedd drost gant o ganeuon i wrando arnyn nhw, a sdim ots pa mor garedig dan ni i gyd yn trio bod dyddie 'ma, weithie does dim ffordd neis i ddeud, 'wel, oedd hwnna'n *shit*' – wel, actiwali 'di hynna ddim yn wir achos nath Ryland a Kizzy lwyddo i ddeud pethe rili positif a neis. Geraint, wel, mae o'n fwy cyfforddus yn mynegi barn sydd falle'n mynd i godi ambell wrychyn ond *fine* achos blydi Geraint Lövgreen 'dio, *fair enough*, mae o'n cyfansoddi. Ond Non fflyffi Parry sy'n dawnsio o gwmpas yn canu caneuon pobol eraill???!! *Pipe down, is it?!* Ti isio trio sgwennu un, Non? Na... *didn't think so*. Felly pob tro o'n i ddim yn licio un oedd Non eratic yn deud pethe fel, 'jyst na, mae'n *awful, NEXT*' tra bod Non sy'n gwybod ei bod hi ddim yn ddigon da i farnu UNRHYW UN yn marw 'chydig bach mwy ar y tu fewn.

Dwi'n cofio un gân yn arbennig achos roedd hi'n eitha eratic, un munud yn slo ac yn *haunting*, wedyn piano eitha tywyll a chaled a bygythiol. A 'nes i ddeud ar ddiwedd y gân, 'wel, oedd hwnna'n swnio fath â *nervous breakdown*' ac wrth gwrs nath pawb chwerthin, oedd o'n eitha ffyni, ond y peth oedd, i fi roedd o'n swnio fel beth oedd yn mynd ymlaen yn fy mhen i. Roedd o'n swnio fath â'r noson ofnadwy 'na yn y Celt. 'Nes i wedyn ddechre teimlo'n *awful* am ddeud hynna, ond yr unig *justification* i fi oedd, dwi wedi actiwali cael un so dwi'n cael neud y jôc os dach chi'n meddwl mai jôc 'dio!

Felly ar ddiwedd diwrnod o hynna, y *shitfest* nesa o 'mlaen i oedd y gwesty ac o bosib treulio noson gyda'r dyn yn y wal. *Fabulous*. So 'nes i drio peidio treulio amser yn y stafell. Cerdded i fewn i dre, falle bysa edrych o gwmpas 'chydig o siopau yn neis? Pryna *face mask*, Non, pryna bybl bath, aromatherapi *pillow spray*, pryna win i gadw cwmni i ti... na, paid â phrynu gwin... na, pryna fo jyst rhag ofn... sdim rhaid i ti yfed o... wel, mi 'nei di *though* so paid... ffyc it, 'na i jyst prynu fo. A thra mae hyn yn mynd ymlaen yn fy mhen i dwi'n sbio o gwmpas a does neb yn edrych fel tasan nhw'n cerdded o gwmpas gyda'r sŵn yma sydd yn fy mhen i, y sŵn 'ma sy'n fy nilyn i o gwmpas. A wedyn mae pob man arall yn swnio'n swnllyd ar ben y sŵn yna, y gerddoriaeth yn y siopau yn brifo, y goleuadau yn rhy llachar, gormod o stwff, ciws, mae'n boeth, mae'n brysur. Rŵan mae'r llais yn dechre siarad efo fi, 'Non, ti'n mynd i gael *panic attack*, ti'n mynd i basio allan, Non, well i ti fynd 'nôl achos ti'n mynd i basio allan o flaen pawb, ti ddim yn dda, Non, mae hyn yn *awful*, cwic, cer 'nôl i'r stafell cyn i bawb weld ti'n ffrîcio allan, Non. (P.S. *God* ti'n pathetic, Non.)'

Dwi'n siŵr eich bod chi i gyd wedi gweld ffilm ble mae'r cymeriad sy mewn trafferth am ryw reswm neu'i gilydd yn cael moment ble mae popeth yn dechre edrych yn *distorted*, neu mewn *slow mo*, neu'n swnllyd. Fel yna oedd hi i fi'n cerdded 'nôl i lawr St Mary Street ar y noson yna, tua 6ish ym mis Ionawr. Tacsis a bysus yn edrych fel *monsters*, *headlights* fel llygaid horibl, pobol yn edrych fath â bwganod, PAWB yn edrych fel tasan nhw'n gwybod bo fi'n wan. Fel anifail gwan sy'n dda i ddim ac angen ffeindio rhywle tawel i guddio a jyst diflannu.

Wedyn cyrraedd y stafell yn gwybod wrth gwrs bod hwn ddim yn lle saff, mae o yma'n aros amdana i. Felly yn debyg iawn i ddyddie teithie *Cyw*, off â fi i eistedd yn y bar, jyst er mwyn bod yn rhywle gyda phobol. Ar fy mhen fy hun wrth gwrs ond gyda phobol o 'nghwmpas i. Unrhyw beth i beidio â mynd 'nôl at y boi yn y wal. Y peth dwi'n siŵr sydd ddim yn neud synnwyr i lot o bobol sy'n fy nabod i sy'n byw yng Nghaerdydd yw pam 'nes i ddim mynd i'w gweld nhw? Mae gen i *LOADS* o ffrindie yng Nghaerdydd, teulu hyd yn oed. Pam aros yna? A'r unig ffordd alla i esbonio fo ydi bod y dyn yn y wal wedi deud wrtha i i beidio â deud wrth neb. Wrth gwrs, does gen i ddim syniad pa mor erchyll ydi o i fyw gyda phartner go iawn sy'n eich cam-drin chi'n gorfforol, neu'n feddyliol, ond dyna'r unig ffordd alla i esbonio i fi fy hun y pŵer oedd gan y dyn yn y wal drosta i, yn fy stopio i rhag gofyn

112

am help gan unrhyw un o'n ffrindie neu 'nheulu. 'Cau dy geg am hyn. Fyddan nhw ddim yn credu ti, byddan nhw'n meddwl bod ti'n *weird*, fyddan nhw ddim isio nabod ti, ti'n gwybod dy hun pa mor ridiciwlys ti'n swnio, nawn nhw ddim credu ti bo fi'n deud y pethe 'ma, Non.' So'r peth hawsa i neud? Cwpwl o ddrincs cyn mynd 'nôl at y dyn yn y wal ac o leia byddi di 'chydig mwy *numb* i'r *shit* mae o isio deud wrthat ti, Non. A dyna 'nes i. Cwpwl o ddrincs a chi'n fwy *cocky*, yn tydach chi? 'Nôl i'r stafell gydag agwedd, 'bring it on then, let's get it over with'. 'Dwi'n *shit*, ydw, 'nes i neud ffŵl o'n hun yn gwaith heddiw, do. Ti'n iawn, mae pawb yn gwybod bod gen i ddim hawl i fod yna, dwi'n embarasing, ydw, dylen i byth 'di cytuno i fod yn rhan o unrhyw beth achos does dim lle i fi rownd unrhyw fwrdd. Damwain wyt ti, Non, *nobody invited you.'*

A mae'r *abuse* yn parhau nes ei bod hi'n dechre goleuo, a dyna pryd mae o'n mynd i gysgu ac yn gadael llonydd i fi. Er ei bod hi'n GYMAINT o ryddhad i weld y bore'n cyrraedd ar ôl noson gyda'r boi 'na, mae popeth yn brifo. Mae'n teimlo fel bo fi 'di bod mewn ffeit achos, wel, dyna sy wedi digwydd i fi, ynde? Ac mae'n anodd edrych yn y drych achos 'nes i adael iddo fo neud o eto i fi, yn do? 'Nes i adael iddo fo siarad efo fi fel yna a fy mrifo i. Pam ti mor wan, Non? Pam wyt ti dal mor wan? Mae o'n iawn, fysa neb yn credu bod ti mor pathetic. Ond *guess* be? Mae gen ti ddiwrnod arall o *CIG* heddiw so rho mêc-yp ymlaen ac ymddwyn fel 'sa hyn heb ddigwydd, ia? Gwd gyrl. Munud nesa dwi mewn tacsi efo Ryland a Geraint Lövgreen yn deud noson mor relacsing ges i, mor lyfli oedd o i gael stafell wely i fi'n hun, am trît. Ac yn ôl i'r stafell gyda phawb i ddechre'r act o fod yn Non eto. Yn teimlo'n sâl, fath â chwydu drwy'r dydd, yn teimlo'n *bruised* i gyd, yn *exhausted* ac yn *disgusted* efo fi'n hun. 'Nes i gadw'r ffrynt drwy'r dydd fel arfer, gorffen ffilmio, diolch i bawb, 'gweld chi blwyddyn nesa LOL' ac yn y blaen ond cyn gynted 'nes i eistedd yn y car 'nes i absoliwtli chwalu'n ddarne. Doedd gen i ddim syniad sut o'n i hyd yn oed yn mynd i symud o'r maes parcio, sut o'n i'n mynd i ddreifio 'nôl i'r gorllewin. O'n i'n desbret i fod adre ond eto'n styc, dim byd ar ôl yn y tanc. Yn wag. Roedd o wedi cymryd popeth genna i eto.

Ond be os dwi'n deud wrth bobol?

'Nes i dreulio'r dyddie nesa adre gyda'r dyn yn y wal. 'Pam nest ti adael y tŷ? Dan ni wedi siarad am hyn LOT o weithie, Non. Ti ond yn neud ffŵl o ti dy hun pan ti'n gadael y tŷ. Mae'n rhaid i ti stopio gweithio, ti methu, ti'n embarasing, ti'n pathetic a ti ddim fod allan yna. Faint o weithie wyt ti'n mynd i drio ffeindio ffrindie cyn i ti sylweddoli bo ti ddim i fod i gael ffrindie? A drycha ar y plant, doeddat ti ddim i fod i gael plant, na gŵr. Ti ddim yn gallu edrych ar ôl ti dy hun heb sôn am deulu. Ti jyst MOR stiwpid i feddwl bo ti'n gallu bod fel pobol eraill, Non.'

Pob tro mae o'n dod 'nôl dwi methu rili cofio sut i'w

dawelu o. Dim erbyn iddo gyrraedd y lefel yma. Mae'r pethe dwi'n neud pob dydd i'w gadw fo o'ma, fel cerdded, gadael y tŷ, siarad efo rhywun, i gyd yn edrych yn amhosib eto. Ond y tro yma dwi'n cofio meddwl yr hyn dwi'n gobeithio fydd yn digwydd pob tro, 'neith o flino efo fi eto cyn hir'. O'n i'n gwybod hynna. Os o'n i jyst yn gadael iddo fo ddeud popeth oedd o isio deud fysa fo'n cael digon rhyw ben. Ond o'n i hefyd yn gwybod ei fod o'n mynd i ddod 'nôl, a chadw dod 'nôl. Bysa yna ddyddie haws eto ond doeddwn i byth yn mynd i fod yn rhydd oddi wrtho fo, oedd o wastad yn mynd i fod yna'n aros i dynnu fi lawr eto. A mewn munudau o *clarity* o'n i wedi deall ei fod o'n dod i fwlio fi yn ystod cyfnodau o waith, gwaith o'n i rili isio neud, gwaith oedd yn LOT o hwyl efo pobol dwi'n RILI mwynhau treulio amser efo nhw. Achos 'dio methu diodde fy ngweld i'n hapus. Ond be o'n i'n mynd i'w neud? Peidio gweithio? Peidio treulio amser efo pobol sy'n fy neud i'n hapus?

Roedd o'n ennill, ac o'n i'n mynd yn llai ac yn llai. Rŵan o'n i *just about treading water* yn y môr mawr, yn fflôtio yn bellach i ffwrdd o'r lan. Taswn i ddim yn trio nofio ac yn trio gweiddi am help rŵan 'swn i'n diflannu o dan y dŵr am byth. A dyna oedd tu ôl i'r penderfyniad i sgrifennu blog i meddwl.org, dim dewrder fel mae lot o bobol yn ei ddeud, o'n i'n desbret. HEEEEEEELP masif oedd y blog yna. Dim jyst deud wrth un person, ond lot o bobol, rhai sy'n fy nabod i, rhai sydd ddim. Roedd o'n teimlo fath â trio dianc rhag y dyn yn y wal am funud, rhedeg allan i'r stryd a gweiddi, 'mae rhywun yn brifo fi, maen nhw isio i fi ddiflannu, plis edrychwch arna i, plis gwrandewch ar be sy'n digwydd, mae o'n deud eich bod chi ddim y mynd i ddeall, mae o'n deud eich bod chi ddim yn mynd i dderbyn fi, mae o'n deud eich bod chi ddim isio nabod fi, mae o'n deud fyddwch chi deffinetli ddim isio nabod fi unwaith dach chi'n gwybod hyn i gyd. Mae o'n deud ddylen i ddim fod efo chi... dwi ddim yn cael bod efo chi... ydi hynna'n wir? Ydi o'n deud y gwir?' Ar hyd y blynyddoedd y *worst case scenario* oedd y bysa pobol yn gwybod pwy o'n i a ddim isio fy nabod i. Wel, roedd pethe'n unig iawn fel oeddan nhw tra bo fi'n byw efo'r dyn yn y wal, *how much worse could this get?*

A tra oedd y llais yn cysgu, gyda help tîm anhygoel Meddwl 'nes i ryddhau'r blog ac wrth gwrs o'n i'n cachu'n hun, achos falle bod y llais yn iawn, falle bysan nhw ddim yn deall, falle bysan nhw ddim isio bwcio Eden i berfformio eto achos mae honna yn y canol yn ffycin nyts ac yn swnio'n riiiiiili *not fun*, pwy sy isio dawnsio i'r *misery guts* yna? *Nice one, way to ruin a party*, Non.

A hefyd, beth oedd y llais yn mynd i'w ddeud am hyn? Oedd o'n mynd i RILI cicio off *surely*? Fysen i mewn trwbwl rŵan unwaith iddo fo ffeindio fi ar fy mhen fy hun eto. Ond be 'nes i ddysgu oedd bod y pric bach yn fy mhen i yn hollol ddi-asgwrn-cefn unwaith oedd pobol eraill yn sbio arno fo. Fath â chreadur bach ych a fi yn byw o dan garreg, doedd o ddim yn licio'r golau. Os oeddach chi'n dal tortsh at yr idiot roedd o'n cuddio.

Roedd fy nghlywed i'n siarad amdano, a deud allan yn uchel yn union be oedd o'n ddeud wrtha i fel Kryptonite i Superman, roedd o'n ei neud O'N wan. *Yeah, see how you like it, shithead!! ANNOYING* bo fi heb sylweddoli hynna nes o'n i'n 45!!

Ac roedd pobol YN deall, roeddan nhw YN fy nghredu i, roedd lot fawr iawn wedi teimlo 'run fath. Ges i gymaint o negeseuon ofnadwy o glên a phersonol, pobol isio rhannu eu straeon nhw. Negeseuon gan bob mathe o bobol, pob oedran, plant, rhieni, cariadon, athrawon. Do'n i ddim ar fy mhen fy hun, do'n i 'rioed wedi bod. Yn anffodus roedd gan bobol ym mhob man storïau tebyg iawn i'n stori i, ond y cysur mawr oedd doeddwn i ddim yn teimlo'n *isolated* rŵan. Roedd y cywilydd wedi mynd. Mae'n anhygoel y pŵer sydd gan y geirie *tiny*, syml yna 'a fi' drost gywilydd.

Gorbryder

Mae'n meddylie ni'n gallu bod yn *awesome* ond maen nhw hefyd yn gallu gweithio yn ein herbyn ni mwy nag unrhyw beth neu unrhyw un arall, achos dyna pwy sy'n siarad efo ni fwya trwy'r dydd pob dydd, ni'n hunain. Ac os dach chi ddim yn ffrindie efo'ch pen mae'n gallu bod yn *torturous*. Mae'n debyg fod y person cyffredin yn treulio tua chwech a hanner o flynyddoedd o'i fywyd yn poeni. I fi mae hynna'n swnio fel cyfartaledd rili isel. Dwi'n teimlo bo fi 'di treulio o leia hanner y pedwar deg saith mlynedd diwetha yn poeni.

O LEIA! Fel lot fawr iawn ohonon ni, dwi'n poeni am beth sy'n mynd i ddigwydd, ac yn hyd yn oed mwy *pointless* dwi'n poeni am beth sydd wedi digwydd. A thra dwi'n rhoi'n holl egni i fewn i neud hynna, dwi'n anwybyddu'n llwyr be sy'n digwydd yn y foment, y rŵan, yr hollbwysig a'r *much sought after 'now'*. Ac wrth gwrs, dyna'r cwbwl mae'n bosib i ni ei reoli rili. Mae anifeiliaid wedi nailio byw yn y foment. Tydi defaid, er enghraifft, ddim yn poeni am be ddudon nhw ar Facebook ar ôl potel o Cava, tydan nhw ddim chwaith yn teimlo fel *shit* am yfed y Cava yna ar brynhawn dydd Sul yn lle golchi dillad ysgol y plant, a dydan nhw ddim yn poeni os bydd y plant yn datblygu rhyw fath o gomplecs neu'n teimlo'n *neglected* achos eu bod nhw wedi gwylio'u mam yn wetweipio *jumper* ysgol ar fore dydd Llun. Dwi'n gwybod bod defaid ddim yn yfed Cava nac yn gorfod poeni am wisg ysgol (a dan nhw'n bendant ddim angen *jumpers*). Does ganddyn nhw ddim y brên capasiti i boeni cymaint â ni ond dwi'n amau, tasa ganddyn nhw'r brên capasiti, y bysan nhw'n ddigon clyfar i beidio poeni.

Mae'n debyg, ar ryw bwynt yn ein hanes esblygiadol fel bodau dynol, daeth newid mewn hinsawdd neu drychineb naturiol i'n fforsio ni allan o'n *comfort zones* mewn mannau â chysgod naturiol i lefydd mwy agored, a rŵan er mwyn goroesi'r peryglon newydd 'ma roedd angen i ni fod yn glyfrach ac yn fwy siarp.

Ymlaen i heddiw ac er ei fod o'n RILI anodd i gredu pan dach chi'n sgrolio drwy Facebook, mae'r ymennydd dair gwaith yn fwy na mae o angen bod. Ac mae hynna'n lyfli achos drychwch be dan ni wedi'i greu: celf, cerddoriaeth, peirianneg, *space travel*, ffôns... Pie Face... ond gyda'r *brain space* 'chwanegol yma a'r stwff dan ni 'di creu mae mwy a mwy o bethe i ni boeni amdanyn nhw. Dwi'n aros yn effro weithie yn poeni bod gen i ddim digon o *fragranced candles*. Mae gan yr oedolion mwya *sorted* dwi'n nabod (a Gwyneth Paltrow) LOT o *fragranced candles*, ac mae eu bywydau nhw'n edrych ac yn arogli yn LOT gwell na'n un i. Y gwirionedd yw, wrth gwrs, fod cannwyll bersawrus neis yn handi wrth y toilet, ond tydan nhw ddim yn safio bywydau. A'r cwbwl dan ni rili angen neud ydi cadw pawb dan ni'n eu caru yn fyw ac yn ddigon hapus... sbrincls 'di'r gweddill, *defo* ddim yn rhywbeth dylen ni golli cwsg drosto fo.

Rhywbeth sydd gan bob un ohonon ni yn gyffredin ag anifeiliaid yw'r *fight or flight mode*. (Mae yna *freeze mode* hefyd ond dan ni byth yn siarad am yr un yna am ryw reswm!) Beth bynnag, dyma'r *safety mechanism* sydd ym mhob un ohonon ni ers oeddan ni'n byw yn yr ogofâu. 'Nôl yn y dyddie yna roedd hi'n anoddach i adael y tŷ (neu'r ogof) a dychwelyd mewn un pishyn. Mae'n ddigon hawdd rŵan i fentro allan i Aldi i brynu *ready made lasagne* a *garlic bread* i swper a dod 'nôl efo stori am ddim byd mwy stresffwl nag i ni anghofio mynd â phunt i ryddhau'r stiwpid troli. OND i'n taids a'n nains yn yr ogof, falle bod *sabre-toothed tiger*, arth neu neidr tu allan yn aros i'ch byta chi cyn i CHI gael cyfle i'w byta NHW.

Roedd hi'n *dog eat dog* go iawn y dyddie yna, felly roedd ein ymennydd ni ar y *look out* drwy'r amser am unrhyw fygythiad. Ac unwaith ei fod o'n synhwyro bygythiad roedd o'n rhoi'r corff ar awtopeilot er mwyn ein neud ni'n gryfach ac yn gyflymach, ac yn rhoi'r *switch on* i'r *fight or flight*.

Mae rhan gyntefig yr ymennydd, yr *amygdala*, yn mynd 'AAAAAAAAAAAAAAAA!!!!!' ac yn neud i'r corff gau lawr y meddwl ymwybodol, a llenwi'n system gydag adrenalin. Mae'r adrenalin 'ma yn symud yn blincin ffast, yn bwydo'n cyhyrau ac yn trio cael gymaint o ocsigen â sy'n bosib i'n ysgyfaint i'n neud ni'n ddigon cryf i baffio'r arth neu'n ddigon sydyn i redeg i blydi ffwrdd. Yn y foment yma mae'r adrenalin yn gallu neud i ni deimlo'n sic, ysgwyd, ei ffeindio hi'n anodd anadlu, teimlo fel llewygu, neu deimlo'n chwil. 'Dio ddim yn *ideal* ond mae'n system sydd wedi safio *loads* o'n hen, hen taids a nains ni, ac mae'n dal i'n safio ni mewn sefyllfaoedd gwirioneddol fygythiol. Mae'n rili blydi clyfar. Da iawn, corff.

Dwi'n meddwl bod gan bawb bethe amlwg, penodol sy'n gallu setio nhw off i deimlo'n orbryderus, ond y peth yw mae bywyd pob dydd erbyn hyn yn absoliwtli llawn o bethe all drigro'r *fight or flight* ynddon ni i gyd. Arholiadau, cyfweliadau, cyfarfod trici yn y gwaith, crowds mawr, sŵn, lists diddiwedd, un coment bach pigog gan rywun ar Twitter. Mae'r rhain i gyd yn gallu achosi rhywfaint o orbryder am 'chydig, ac mae hynna'n *manageable* am gyfnodau byr, ond mae gen i *anxiety disorder* ac mae hwnnw'n afresymol, ac i rai pobol yn hollol allan o *proportion*, ac yn anffodus... mae o efo fi pob dydd!

Y drafferth yw 'di 'mhen i ddim yn gwybod y gwahaniaeth rhwng arth ac ateb y ffôn. Dwi'n un o'r bobol yna sy'n mynd i *fight or flight* mewn sefyllfaoedd lle bysa lot o bobol eraill ddim yn poeni o gwbwl.

Jyst rhai o'r pethe sy'n achosi gorbryder i fi:

Ateb y ffôn

Gadael y tŷ

Mynd i'r archfarchnad

Mynd ar wylie

Aros mewn gwesty

Social gatherings

Ordro bwyd

Sinema

Pethe sydd ddim

Canu o flaen tair mil o bobol

'Dio ddim yn neud sens!!!!

Felly mewn sinema, er enghraifft, dwi wedi profi gorbryder sawl tro. Mae'r *fight or flight* yn cicio mewn, yr adrenalin

121

yn pwmpio trwydda i a dwi'n meddwl bo fi'n actiwali mynd i farw. Methu anadlu, chwysu, teimlo'n sic, teimlo fel tasa'r adeilad yn mynd i syrthio ar fy mhen a fy llyncu i. Ond dwi ddim rili yn cael sgrechian a thramplo drost y bobol o 'mlaen i i ddianc *asap*, achos dydi bihafio fel'na mewn lle cyhoeddus ddim yn rhywbeth sy'n dderbyniol na'n cŵl iawn! Felly mae gen i ddewis:

a. Stopio mynd i'r sinema.

b. Jyst derbyn falle neith o ddigwydd ac eistedd trwy'r hunlle nes iddo basio.

c. Cymryd meddyginiaeth sy'n slofi fy adrenalin.

Yr unig un ar y list yma dwi heb ei neud ydi 'stopio mynd i'r sinema'. A dyna'r peth rili ffycin boring ac *annoying* am orbryder hirdymor – am rywbeth sydd mor anweledig a di-ffurf, mae ganddo fo'r gallu pwerus i gymryd gymaint gan berson. Mae'n dwyn hyder, rhyddid, *spontaneity* a phrofiadau *potentially* lyfli, ac mae'n cymryd lot gormod o blydi egni. Mae'n flinedig yn gorfforol i ymladd y teimladau neu'r symtomau ac mae'n flinedig i orfod trio neud yr holl bethe mae pobol yn cynnig dy fod ti'n eu neud i'w gadw o dan reolaeth, fel ymarfer corff, ioga, therapi, bwyta'n iawn. Mae'r rhain ynddyn nhw eu hunain weithie'n teimlo fath â job llawn-amser, ond os dwi ddim yn cadw ar eu pennau mi eith pethe'n eitha *shit* yn gyflym.

Felly ers blynyddoedd, o'r eiliad dwi'n deffro yn y bore, mae'n rhaid i fi neud ymdrech ymwybodol i beidio â theimlo gorbryder. Yn yr eiliadau cynta yna wrth ddeffro, dan ni i gyd yn gofyn i'n hunain, 'be sy'n digwydd heddiw? *Oh*, ia... cyfarfod... ac mae gen i *click and collect* i gofio, optegydd am 3.20pm.' I fi mae'r eiliadau yna yn gallu fflipio fi i *overwhelm central*. Mae POPETH yn edrych yn amhosib am ychydig, a dwi'n siarad am y camau symla, fel agor y drws ffrynt, ac os dwi'n paffio'r meddylfryd yma neu'n dangos bo fi ei ofn o dydi hynna ond yn neud pethe'n waeth ac mae gweddill y diwrnod yn *screwed*. Felly dyma be dwi'n trio'i neud. Dwi'n cofio'r geiriau hyn:

'What you resist persists.' Carl Gustav Jung

Dyma'r peth sy'n swnio'n hawdd ond yn cymryd gwaith i'w neud achos mae o hefyd yn swnio'n rong... y peth mwya naturiol fysa trio peidio gadael y teimlad *gross* yna i fewn, ynde? Ond arhoswch efo fi! Yn ôl y theori yma os dach chi'n brwydro yn erbyn teimlad fydd y teimlad yna'n para'n hirach, achos dach chi wedi rhoi pwysigrwydd i'r teimlad. Os dwi'n gwthio'r gorbryder i ffwrdd dwi'n rhoi rheswm iddo fo wthio'n ôl. Mae gorbryder yn gallu bod yn stwbwrn, ac mae o'n rili licio eich gwylio chi'n paffio. Felly tydi beth bynnag yw'r *negative thought* neu'r llais yma ddim yn cael cweit yr un *power trip* os ydw i'n deud, '*Oh*, hei, ti yma, wyt ti? Oes unrhyw beth galla i helpu ti efo? Be 'di'r *issue*? So ti'n deud falle bydda i'n hwyr i'r cyfarfod am ryw reswm a bydd pawb yn y stafell wedyn yn casáu fi ac yn cychwyn grŵp WhatsApp o'r enw "Mae Non yn absoliwt *arse*"? OK, cŵl. Diolch am yr *heads up*.' Trwy siarad efo'r meddwl dwi'n cymryd y panic a'r meddyliau catastroffig allan o'r bom meddyliol posib, a dwi'n aml yn gweld yn gliriach beth yw'r actiwal *issue* a sut i neud pethe'n haws yn y foment yna... ac mae o jyst yn pasio... majic. A dyna ydi myfyrio, ynde? Jyst gwylio meddyliau ymwthiol yn hedfan heibio. Eu gweld nhw ond peidio rhoi pwysigrwydd iddyn nhw achos jyst meddylie ydan nhw. *Simple as.*

Wedi deud hynna, mae o weithie'n haws deud na gneud ac mae'r *chat* negatif yn dechre cydio. So be dwi'n neud? Gadewch i fi ddechre gyda be ddylen i ddim neud:

Sgrolio ar Instagram. Garantîd i neud i fi deimlo bo fi'n *underachieving blob disgusting* cyn i fi hyd yn oed godi 'mhen off y clustog, ond *holy crap* dwi'n ei neud o ar awtopeilot. Dwi'n addo i chi, fel dwi'n sgwennu hwn, 'na i ddim neud o fory... os dach chi ddim. *Deal*? Dan ni ddim angen gweld be mae @drychwcharnafinbwyta yn bwyta i frecwast, neu lle aeth @maebywydfi'namazing neithiwr, neu ble mae @dimcyfrifoldebau wedi mynd ar ei holides. Dim pan dan ni'n gwisgo *pyjama bottoms* gyda dim elastic ar ôl, hen *maternity top* o'r flwyddyn 2001 a mêc-yp ddoe. Dim Instagram tan tua 10.30. *Deal*?

Dwi hefyd yn trio peidio rhoi'r newyddion ar y teledu peth cynta. Dwi'n gwybod bod gen i gyfrifoldeb fel aelod o'r blaned i wybod be sy'n mynd ymlaen ond mae cymunedau *tribal*, *uncontacted peoples* y byd 'ma yn edrych ar ôl y bobol maen nhw'n gallu eu gweld o'u blaenau nhw, a dyna eto sy'n bwysig i fi tan o leia 10.30am. Yn lle dal i fyny efo'r newyddion peth cynta, dwi'n gwybod bod y newyddion, ar ryw blatfform, yn mynd i fy nal i rywbryd yn ystod y dydd. Mae rhywbeth yn bownd o fy neud i'n flin neu'n drist, sy'n OK, ond yn gynta dwi angen gneud yn siŵr bo fi'n OK er mwyn neud yn siŵr bod y teulu yn OK. So dyma lle dwi'n tsiecio mewn gyda'r corff a'r meddwl. Dwi'n gwybod... dwi'n swnio fel *total dick* ond mae'n RILI gweithio!

I ddechre, jyst symuda

Dwi'n teimlo bod rhaid dechrau trwy bwyntio allan bod meddwl neud unrhyw fath o ymarfer corff yn amhosib pan dach chi mewn stad o iselder neu banic gwael, so os ydach chi'n darllen hwn rŵan yn meddwl, *oh* wel, dwi'n ffycd achos dwi methu symud, dwi'n gwybod! *Been there, got the T-shirts*, so peidiwch â bîtio'ch hun i fyny, arhoswch a jyst trïwch fynd am dro bach ar ddiwnod pan mae pethe'n ysgafnach. Dwi'n gwybod pan bo pethe'n wael efo fi bo fi methu gadael y llofft neu'r stafell molchi, neu ble bynnag dwi 'di landio'n hun, heb sôn am adael y tŷ achos dwi 'di dechre gwrando ar y llais 'na sy'n deud wrtha i bod popeth yn amhosib ac yn *terrifying*. OND mae cymryd y cam cynta yna, mynd allan a cherdded rownd y bloc yn gallu tawelu'r celwydde mae'r meddwl yn gallu eu creu. Dach chi'n gweld bod y byd yn dal i droi, ac mae'r ddaear yna o dan eich traed, un droed o flaen y llall – yn sydyn newch chi weld aderyn, neu flodyn neu gwmwl, ac maen nhw'n neis. Mae jyst neis yn *fine*.

Os ydi cerdded yn yr awyr agored yn teimlo'n amhosib, cerwch am sbin yn y car. Gwell fyth os ydi rhywun arall yn dreifio so sdim rhaid i chi feddwl i ba gyfeiriad i fynd (*big ask* mewn stad fel yna). Jyst eisteddwch yn y car a gwyliwch y byd yn mynd heibio. Mae'n rili helpu i shifftio'r gafael yna sy'n trio'ch confinsio chi bod popeth yn *awful*. Blynyddoedd yn ôl, cyn i fi briodi hyd yn oed, es i i aros efo Caryl am sbel yn ystod cyfnod eitha crap. Doeddwn i ddim isio gweld neb na dim, ac oedd hynna'n *fine* am 'chydig, ond dwi'n cofio hi'n perswadio fi yn rili *gentle* i fynd efo hi am sbin yn y car. Peth nesa o'n i ym maes parcio Marks & Spencer, peth nesa o'n i YN Marks & Spencer yn edrych ar y cardigans. *Don't get me wrong*, dwi ddim yn meddwl o'n i'n lolio a *high five*-io i lawr *aisles* M&S ond o'n i'n teimlo fel rhan o'r *universe* eto. A doedd pobol ddim yn sbio arna i fel rhywun sydd wedi torri, fel mae 'mhen i'n gallu deud wrtha i nawn nhw. Mae 'na LOT o ddyddie pan dwi'n confinsio'n hun i gloi'n hun yn y tŷ a chuddio. Dwi ofn gweld pobol achos dwi ofn nhw'n gweld fi, dwi ofn nhw'n gweld bo fi'n *weird*. Ond rŵan dwi'n gwthio'n hun allan trwy'r drws achos dwi yn gweld pobol, ac maen nhw'n fy ngweld i, a dydan nhw ddim yn meddwl bo fi'n *weird*. Maen nhw'n deud 'helô', dwi'n deud 'helô' 'nôl ac mae'n atgoffa fi bo fi'n cael bod yma. Os dach chi'n ffeindio'ch hun yn styc plis trïwch fynd allan, mae'n gallu newid popeth yn sydyn, a'r peth briliant yw, mae tu allan WASTAD yna.

Natur

Ers i Cofid fod yn rhan o'n bywydau sdim dwywaith bod y rhan helaeth ohonon ni wedi dod i werthfawrogi natur gymaint yn fwy nag oeddan ni. I fod yn onest, taswn i'n natur 'sen i'n eitha pisd off efo ni i gyd. 'OOOOOOH! RŴAN dach chi'n licio fi, ia? Rŵan bod ffyc ôl arall i chi neud?' Dwi'n embarasd i ddeud cyn lleiad o'r tu allan o'n i'n rili gweld, a mwy na gweld ond rili talu sylw iddo, a dwi'n byw reit yng nghanol y wlad ers BLYNYDDOEDD. Mae dwsinau o lwybrau cyhoeddus hollol hudolus yn llythrennol ar stepan ein drws – ydan ni erioed wedi cerdded arnyn nhw? Pam bysan ni'n neud hynna pan mae gen i *treadmill*, laptop a Netflix? IDIOT, NON.

In my defence, y broblem fwya i fi efo mynd i gerdded oedd gadael y tŷ, dim achos y tywydd, dim diogi oedd o, jyst y panic llwyr arferol o adael y tŷ. Be 'sa rhywun yn fy ngweld i? Be 'swn i'n gweld rhywun? Be 'swn i'n ddeud? Be fysan nhw'n ddeud falle? Ac yn y blaen. Doedd hyn ddim yn beth newydd ond roedd Cofid wedi rhoi esgus HIWJ i fi beidio trio mynd allan, fel dwi fel arfer yn fforsio fy hunan i neud. Felly wedi methu rili neud dent yn unrhyw *home improvements* yn ystod wythnosau cynnar y clo (neu fethu ffeindio'r *motivation* i neud falle), nathon ni neidio ar y *bandwagon* a thrio fforsio pawb allan. OK… 'sen i'n licio deud bod y plant wedi mwynhau a'n bod ni wedi cael sgyrsie lyfli a dysgu a dod i adnabod enwau'r blodau gwyllt a'r pryfaid ond, na, galla i gyfri ar lai nag un llaw faint o weithie nathon ni gerdded fel teulu yn ystod y flwyddyn a hanner oeddan ni 'fod i' neud ymarfer corff dyddiol. Ond mi wnaeth Iwan a fi gario mlaen i drio mynd allan pob dydd, dim efo'n gilydd, fflipin 'ec – dwi'n meddwl bysa Iwan yn cytuno mai i ddechre, apêl mynd i gerdded rili oedd i beidio gorfod siarad efo unrhyw un arall. Ond doedd hi ddim yn hir cyn i ni ddechre dod adre yn smyg i gyd ein bod ni'n byw mewn ardal 'mor fendigedig' a bod 'natur mor anhygoel' *as if* mai NI oedd wedi infentio fo, neu'r unig bobol i sylwi arno erioed. Dwi'n sefyll wrth ochr natur yn *eye-rolio* rŵan jyst yn meddwl pa mor stiwpid oeddan ni i gyd yn swnio ar y pryd! *'Guess* be, pawb? Dwi 'di ffeindio rhywbeth anhygoel o'r enw "natur"! Mae'n rhad ac am ddim ac mae'n neud i chi deimlo moooooor briliant.' *SHUT UUUUP*, NON!!

Cyngor y maethegydd nath neud i fi ddechre cymryd y cerdded 'ma o ddifri rili, er mwyn chilio'n *nervous system* i lawr a slofi lawr 'chydig. Llai o redeg a mwy o gerdded. OND mae hynna'n rheswm arall tydi Iwan ddim yn licio cerdded efo fi, dwi wastad yn cerdded yn rhy sydyn! Byth yn cymryd yr amser i fwynhau be bynnag sydd o 'nghwmpas i, jyst isio mynd, *get this done*, be sy nesa ar y list, math o beth, eto yn ailddatgan beth oedd y maethegydd wedi'i ddeud, bod angen i fi chilio allan a slofi lawr. Ond roedd hi'n hydref/gaeaf erbyn hyn ac roedd y tywydd yn llai 'hawdd'! Roedd natur a'r elfennau a'r gwynt a'r glaw yn slofi'r pês drosta i. O'n

Extra drop of fizz for Cola

The three original members of Cola.

POP hopefuls, Cola, are continuing their quest for stardom with a recording session in London and a possible Christmas single featuring the vocal talents of Aled Jones.

Cola, comprised of St Asaph girls Rae, Non, and Jeni, have just added a fourth member to their line-up, 21-year-old Emma Walford, of Abergele, and are currently working in a Liverpool recording studio preparing demos for the Paisley Park label of the artist formerly known as Prince.

Following their appearance at Manchester's In The City festival last Sunday, the quartet were invited to record with Mike Choi at his London studio.

Choi - the chief songwriter for Kylie and Danii Minogue - is currently producing an album for Alison Moyet with his partner, ex-Specials keyboard man Jerry Dammers, and was so impressed by the girls' talents that he offered to record some high profile tapes with them.

They have also been approached by independent producers with a view to releasing a Christmas record with Aled Jones.

And the band are searching for backing singers, dancers and other young female musicians to prepare for a possible tour.

Cyn Eden roedd Cola, gyda chwaer Rach, Jenny, cyn iddi adael a chael ei disodli gan Emma!

Gwahoddiad i Cola Cymru gan Prince!

MAE yna dipyn o wahaniaeth rhwng canu mewn côr merched a recordio sesiwn ar gyfer label recordiau un o sêr mwya'r byd roc.

Ond dyma un o'r posibiliadau sy'n wynebu Cola, grwp o Lanelwy yng Nghylwyd, wedi iddynt dderbyn ateb, ar ôl anfon at nifer o gwmniau, oddi wrth Paisley Park yn yr Unol Daleithiau - cwmni o eiddo yr artist a adnabyddwyd gynt fel Prince -

Mae aelodau Cola sy'n cynnwys dwy chwaer, Rae, 20 a Jeni Jones, 22, ynghyd â Non Parry, 21, o Ruddlan, yn ffrindiau ers yn ddisgyblion yn Ysgol Glan Clwyd.

Roeddent yn aelodau o Gôr y Glannau ac o grwp Cymraeg, Papur Gwyn, yn yr ysgol.

Wedi gadael yr ysgol, graddiodd Non mewn drama yng Ngholeg Caerfyrddin.

Mae gan Rae Rwyddyn i'w chwblhau ym Mhrifysgol John Moore, Lerpwl ac mae Jeni yn nyrs theatr yn Ysbyty Glan Clwyd, Bodelwyddan.

Flurflwydd Cola fis Mai eleni, wedi i'r genethod weld hysbyseb papur newydd am gantorion a dawnswyr.

Yn ogystal â chyfweliadau papur newydd mae nhw wedi bod ar y radio ac mae ymddangosiadau teledu ar y gweill.

Ar ôl cychwyn y grwp, gyrrodd y genethod dapiau demo i nifer o gwmniau recordio ac un o'r rhai a atebodd, oedd cwmni Paisley Park o eiddo yr artist a adnabyddwyd gynt fel Prince.

Mae Paisley Park wedi gwahodd y merched i sesiwn recordio, ond hyd yma nid yw'r tair wedi penderfynu derbyn ai peidio

ond y mae Cola yn chwilio am leisiau cefndir a dawnswyr. Os oes diddordeb gennych, foniwch 01745 887273.

Oedd o'n wir bod Prince eisiau seinio Cola?

Supplement to the Daily Post, Wednesday, February 19, 1997

WOMEN IN WALES

Page Three

but Eden's paradise

Home-loving pop stars reject the bright lights of the big city

voice before breaking into fits of laughter.

Non, Emma and Rachael, from Rhuddlan, Abergele and St Asaph, put the band together a year ago. They had always sung together in Rhuddlan Choir and kept in touch while students at University.

Then came the call to London.

"We had the chance of settling something up and possibly moving to London but we said no, we didn't feel we were the right girls for the jobs," said Emma emphatically.

The job may have brought them fame and fortune but the trio felt the strings attached were just too binding.

Their decision will be seen by many wannabe pop stars as sheer madness, but in the longterm Non, Emma and Rachael feel they will come out on top. They are Wales's first all-girl, all-Welsh group who have turned traditional songs on their heads and mixed them with flash dance routines and belly-baring, highly fashionable clothes.

Not surprisingly their audience grows with each TV performance.

"I think we're popular here because we just sing in Welsh," said Emma. "I'm not against Welsh bands singing in English, but because we sing in Welsh we've conjured an audience who have gone loopy about us.

"We didn't have anything like Take That in Wales before, a group that sung and danced and performed raunchy songs, as well as traditional stuff."

THE comparison with Take That is appropriate. When S4C made two programmes about Eden, which were screened just before Christmas, the girls found themselves working with none other than Take That's choreographer Kim Gavin, on their dance routines.

"Working with Kim was brilliant," said Emma. "It was unbelievable and that proved to us that there was no need to be in London to work with top people. When we heard he was coming here to work with us it blew our minds."

The last year has been one whirlwind after another for Eden. At the end of 1996 they moved from their North Wales homes to Cardiff to be nearer bigger performance venues and their 'day jobs'.

Emma is co-presenting S4C's Sunday night game show Sul Y Ffin. Non's work as a backing singer for other bands beside Eden has taken her to America and France and Rachael has presented two series of Talk about Welsh.

"It's been really good to have other things going on as well as the band," said Rachael, who studied dance at Liverpool while Emma took a degree in drama at York and Non did Theatre Studies in Carmarthen.

"I think that what's been great is that we stayed here because we really enjoy our work. Like any jobs you have to make sacrifices but we didn't want to make the ones the record companies were talking about," she added.

"Now we're trying to get fit and doing as much practice and singing together as we can."

The future looks bright for Eden, who seem determined to resist the lure of London and all the madness that it often entails for pop stars.

"It suits our personalities to stay in Wales," said Emma "We're really homebirds at heart."

NAUGHTY BUT NICE: The Spice Girls have taken the music world by storm but must cope with mass adulation

Er mor doji oedd Cola nathon ni ddysgu rhywbeth!

All-girl pop group turn their backs on the bright lights of London

SINGING IT THEIR WAY: The three members of Eden, left to right, Rachael Jones, Emma Walford and Non Parry   *Picture: NICK TREHARNE*

Eden found in Wales

Eden yn ein fflat cyntaf yng Nghaerdydd.

THE LINE-UP

● **Emma Walford**, 22, from Abergele, studied drama at York University. Met Rachael and Non through choir when she was 13, the start of the three singing together. "It might sound corny but I'm happier now than I've ever been."

● **Non Parry**, 22, from Rhuddlan, studied drama at Trinity College, Carmarthen. Has been doing eisteddfods since primary school. "We're so used to performing. I don't think people realise the experience they are getting."

● **Rachael Jones**, 21, from St Asaph, who has a BTech National Diploma in performing arts from Llandudno. "I was taking a year out from my dance course at Liverpool University but I think it'll be more than that now."

RAUNCHY PERFORMERS: Eden on S4C's *Yng Nghwmni Caryl*

Ymddangosiad cyntaf Eden a'r perfformiad cyntaf o 'Paid â Bod Ofn' ar raglen Caryl, 1996.

Yma mae eu calon a'u cân

Y TAIR EFA: Non Parri, Rachael Solomon, Emma Walford

"CARYL Parry Jones? Ma hi'n iawn am hen cojer!"

Pwy ond cyfnither y gantores enwog a allai ddweud y fath beth, ond ar ôl giglo am funud mae Non Parri yn ychwanegu mai y Caryl y mae'r diolch fod Eden wedi mwynhau'r fath lwyddiant.

Fel gwesteion ar ei rhaglen hi y daeth y triawd i sylw'r genedl gyntaf, ac ers hynny mae Non, Rachael ac Emma wedi bod i Lundain, wedi gwrthod y big-brêc ac wedi dod yn ôl i Gymru i weithio.

"Athon ni i'r audition yma yn Llundain ar gyfer cantorion a gafon ni'r manager yma oedd yn nli pwshio ni'n galed. O fewn dim amser bron

roeddan ni'n cwrdd â choreographers a chynhyrchwyr ac roedd ganddyn nhw fwy o ddiddordeb yn y ffordd oeddan ni'n edrych na'r ffordd roedden ni'n canu.

"Roedden nhw am inni fynd i'r gym a cholli pwyse! Rhywbeth manufactured iawn oedden nhw ishe –rhywbeth fel y Spice Girls siwr o fod. Roedd o i gyd yn well dodgy!"

Mae'r dair yn byw gyda'i gilydd mewn fflat yng Nghaerdydd, ac yn joio'n iawn yn ôl y neges swnllyd sydd ar y peiriant ateb…

"Dan ni'n cael laff – ma Rachael yn rili daclus a Emma a fi sy'n cystadlu am deitl y messy bugger!"

● Eden, S4C, Dydd Iau, 8.00pm

Gwrthod y brêc mawr.

Canu, Cleisiau a Take That!

CYFRES NEWYDD

Eden
8.00 Nos Iau
5 Rhagfyr
· · · · · · · · · ·

Dyw bywyd roc a rôl ddim yn fêl i gyd medden nhw ond does dim pwynt dweud hynny wrth dair merch ifanc o'r Gogledd, Emma, Non a Rachael sydd wrthi'n mwynhau'r hwyl a'r cyffro hyd eithaf eu gallu. Nhw yw Eden, y band sydd wedi denu sylw rhai o enwau mawr y sîn gerddorol ym Mhrydain. Gwnaeth y dair gyfarfod pan oedden nhw'n aelodau o Gôr y Glannau gyda'i gilydd tra'n yr ysgol ond erbyn hyn maen nhw'n canu ac yn dawnsio i gyfarwyddyd coreograffydd Take That – ac wedi bachu rhai o'u cantorion cefndir mwyaf golygus hefyd! Dros y Nadolig bydd cyfle i weld y tair yn dangos eu doniau a chanu gyda'r gorau ar S4C.

Flwyddyn yn ôl fe aeth y dair i Lundain i ymweld ag asiant a chanddo ddiddordeb mewn creu band newydd. Ei gyngor ef? Eu pecynnu fel nifer o fandiau eraill a mwydro'u pennau am ddelwedd, delwedd, a mwy o ddelwedd – a dweud y dylen nhw golli pwysau. "Doedd gyda ni ddim diddordeb yn hynny, meddai

Rachael. "Canu da'n ni am neud, nid meimio. A pam colli pwysau? Mae angen rhywbeth i'n cadw ni'n gynnes yn y gaeaf!"

Felly yn ôl i Gymru y daethon nhw a phenderfynu ffurfio Eden. Ers hynny mae bywyd wedi bod yn brysur iawn i'r tair. Maen nhw eisoes wedi perfformio ar raglen Caryl, cystadleuaeth Cân i Gymru, Uned 5 ac wedi gwneud sesiwn Ram Jam. Ac mae Emma wedi hedfan i Atlanta am benwythnos ("fel mae rhywunt" meddai) i ganu gyda Rhys Mwyn yn Hen Wlad Fy Mamau.

Nawr mae pethau yn dechrau poethi go iawn. Fe gafodd cwmni teledu Al Fresco afael ar y dyn fu'n gyfrifol am goreograffi Take That, Kim Gavin, i ddysgu ambell rwtin dawnsio i'r merched ar gyfer eu rhaglen, gyda chantorion cefndir Take That yn eu cefnogi. Pan gytarfu Sgrîn â nhw roedden nhw wedi bod yn dawnsio am dri diwrnod solet o dan gyfarwyddyd Kim. "Dan ni mor stiff, dan ni prin yn medru cerdded heb sôn am ddawnsio!"

Ond roedd y cyfan yn werth chweil. Dyn "lyfli" yw Kim Gavin ac mae'r bechgyn sydd yn dawnsio yn dipyn o beth hefyd! "Bydd 'na ferched yn ein ffonio ni i gael rhifau ffôn y bechgyn, dwi'n meddwl," medd Rachael. "Ow, maen nhw'n lyfli. Dôn ni ddim yn credu'r peth pan welson ni nhw gyntaf!"

These girls just want to have fun! ➤

Fel ffans HIWJ o Take That roedd cael yr un coreograffydd yn hollol RIDICIWLYS!!

They were saying the same things as all nagers do, but at the time it was made o a big deal because not as many people ew what singers to do," said Emma.
'Since things like Pop Idol have been on , where image is obviously crucial, the lic are far more clued up about things : that."
o they came back to Wales, and chose relative obscurity of S4C for their formances.
ut they still managed to ruffle a few bers with their raunchy outfits.
Non said, "Pop wasn't that... ular in Wales when we first ted, indie was the main g.
'When we came along, with ish-language pop, it was ething different, we worked so much.
'We wore PVC, d we sang in lsh. What re could

"But it's made us more relaxed, in a way,

are particularly proud of.

Rachael.

Delwedd dooooooji!!!!

Photoshoot ar gyfer clawr yr albwm *Paid â Bod Ofn*. Un o lunie cyhoeddusrwydd cyntaf Eden.

Weithie maen nhw'n heirio cariadon i ni! BRILIANT!

atolwg

Cylchgrawn hamdden am ddim gyda Golwg   awst 1997

Cip ar flwyddyn gyffrous yng ngardd Eden.

eden
YN YR ARDD

Y merched yn trafod ffasiwn a pheintio

CYMRY YN ERBYN Y BYD
Iwan Thomas a Jamie Baulch

CD'S NEWYDD SUPER FURRY ANIMALS **SEREIN** PIC NIC **Y STRABS** HEN WLAD FY MAMAU

Ugain Uchaf Cytgord

1 Eden (1)
2 Iwcs a Doyle (2)
3 John ac Alun (6)
4 Gwerinos (7)
5 Dafydd Iwan (3)
6 Moniars (8)
7 Geraint Lovgreen (4)
8 Sian James (16)
9 Gwacamoli (20)
10 Iona ac Andy (9)
11 Bryn Fôn (-)
12 Tecwyn Ifan (14)
13 Sobin (17)
14 Meic Stevens (11)
15 Catsgam (13)
16 Rheinallt H Rowlands (-)
17 Waw Ffactor (15)
18 Strymdingars (10)
19 Ram Jam 2 (5)
20 Gorky's Zygotic Mynci (-)

Gigs, Gigs a

Blwyddyn i'w chofio yng ngardd Eden

TAIR GENETH LWCUS: Genod Eden

PE baech wedi dweud y gair 'Eden' flwyddyn a hanner yn ôl fe fyddai'r rhan fwyaf o bobl yn meddwl eich bod unai'n siarad am yr ardd honno yn yr Hen Destament neu'n camynganu enw pentre ym Mhen Llŷn. Ond â hithau'n tynnu at derfyn 1997, mae'n rhaid eich bod wedi bod yn byw ar blaned bell am dros flwyddyn i beidio â bod wedi clywed am Eden, y band.

Mae hi wedi bod yn flwyddyn o brysurdeb di-baid i Non, Rachel ac Emma, y tair merch fywiog-fyrlymus o Glwyd. A nhwythau newydd lanio yn y tŷ mae'r tair yn ei rannu yng Nghaerdydd wedi oriau o ymarfer egnïol ar gyfer eu cyngerdd fydd yn cael ei ddarlledu ddiwrnod Dolig, mae'n nhw'n dal yn byrlymu o sgwrs a chwerthin.

"'Da ni mor lwcus," meddai Emma. "Ron i'n meddwl rwan, tra'n gweithio hefo'r dawnswyr, y pedwar o ddynion mwya lyfli yma. Roedden nhw'n ein pigo ni i fyny, a'n twistio ni o gwmpas a nes i feddwl... ma' gynna i'r job orau'n y byd! 'Da ni mor lwcus!"

Mae hi wedi bod yn flwyddyn anhygoel i Eden, hefo taith S4C, taith Ram Jam, nifer di-ri o berfformiadau ac ymddangosiadau, rhyddhau CD Eden, gweithio gyda'r band Diffiniad, cyflwyno Noc Noc a gweithio ar brosiectau fel unigolion!

Ar y funud, gweithio tuag at y cyngerdd yw'r nôd, a rhoi sioe dda i'r degau sy'n teithio i lawr i fod yn y gynulleidfa. Yna gorffwys, gorffwys, a gorffwys dros y Nadolig yw bwriad y tair. Ac yn y flwyddyn newydd, fe fydd y prysurdeb yn ailddanio gyda chomedi i blant yn dilyn

hynt tair merch sy'n gweithio mewn gwesty i'r enwog Eddie Butler. Dychwelyd i'r gogledd y mae'r tair dros y Nadolig.

"Dwi'n mynd adre at dad i Lanelwy," meddai Rachel. "A mi fydd 'y mrawd a'i deulu yna. Dwi heb eu gweld nhw ers sbel"

"Dwi'n mynd adre at 'y mama a nhad a 'mrawd i Rhuddlan," meddai Non. "Dwi'n mynd i fod o flaen y teli yn bwyta non-stop. Mi fydd hi'n lyfli cael bwyd iawn yn lle super noodles, a cael golchi nillad."

"Mi fydda i'n mynd adre i Abergele," meddai Emma, "ac yn treulio diwrnod Dolig hefo mam a dad a fy nwy chwaer.
● Eden, S4C, Dydd Nadolig, 4.20pm

● 7 ●

Dwi'n CARU nhw.

Rach a fi yn chwarae efo syniadau ar gyfer gwisgoedd Eden.

Cwtsh mawr i Emma.

Eden a'r rownd gyntaf o blant: Wil, Anni ac Alys.

Wastad yn edrych yn hollol *stunning*.

Agor fy nghalon.

Non Parry o Eden

Lois yn Holi

● Beth sydd wedi gwneud iti gochi'n ddiweddar?

Dwi'n methu meddwl am achlysur arbennig. Ond mae yna ddigon o ddiliad oni'n eu gwisgo wrth ddechrau gyda Eden, oedd rhai yn ofnadwy. Ond dwi erioed wedi disgyn ar y llwyfan neu oddi ar gadeirau ynghanol dawns sy'n wyrthiol, ond mae'n siwr na i. Roedden ni wedi cael help gan bobl eraill i ddewis diliad, ond fe allen i fod wedi gallu dweud NA! Dwi'n cofio par o drowsus oren hyrendys pan oedden ni ar raglen Caryl ar y tro cyntaf.

● Fa lyfr neu ffilm sydd wedi dylanwadu fwyaf arna chdi?

Wizard of Oz, dyna'r ffilm nath wneud imi fod eisiau dechrau canu. Oni tua saith oed ac fe brynodd Dad y video imi yn anrheg, felly fe ddysgais i bob can â'r holl sgript. Oni'n ei wylio fo'n ddiweddar ac mae'n anhygoel roeddwn i'n cofio'r geiriau i gyd, oedd o'n *amazing*.

● Beth oedd dy swydd gyntaf di?

Gweithio ar y prom yn neud hot dogs a byrgyrs. Redd yna arogl rili neis arnaf fi ar ôl mynd adref!

● Fa gyfnod mewn hanes hoffe ti fynd yn ôl iddo fo?

Dwi'n meddwl y 1920'au ble roedd dillad y merched yn *lovely* a gwalltiau neis, roedden nhw'n edrych mor *chic*. Byddwn i'n byw yn New York ac yn mynd allan efo gangsters, bod yn aelod o'r mob, byddai hynny'n ofnadwy o ecseiting.

● Beth wyt ti'n fwyaf balch ohono?

Dwi'n meddwl mai rhaglen Dolig Eden, y cyngerdd yng Nghaerdydd. Dyna'r perfformiad cyntaf byw natha ni gyda band byw a dawnswyr. Dim ond tri diwrnod gafon ni i ddysgu a phara-

toi pob dim. Dwi'n meddwl mai ofn nath wneud imi gofio'r holl rwtin. Ac mae'n od clywed band y tu cefn, mae'r sain yn swnio'n wahanol rywsut.

● Beth fyddi dy freddargraff?

Faswn i ddim yn gallu cael dim byd seriws. Hen hogan iawn oedd Non nedd *wastad* yn *attemfol iawn efo'i gwallt!*

● Tri annodafair i dy ddisgrifio dy hun.

Tawel, *calm*, arbrofol a hapus.

● Diliad gwy hoffet ti ei wisgo?

Wonderwoman, ati wastad yn gwylio'r rhaglen yna pan oni'n fach. Erbyn heddiw byddai'n wyrth os gallwn i wisgo ei dillad hi, a chael ei phwerau hi hefyd wrth gwrs, byddai hynny'n *cwl*, i ddal y dynion drwg!

● Be ydi dy hoff air?

Mae yna lot o eiriau sydd wedi tynnu'n aylw i ers imi symud i lawr or gogledd. Mae yna lot dwi'n ei ffinndio nhw'n ffyni fatha *hwgec, hwpo fe lan!*

● Ydi pethau'n dod yn rhwydd i ti, neu wyt ti'n dygwych i Adcing Mole?

Dwi'n eithaf trwygwi. Os oes un ohona ni'n mynd i neud rwbeth yn anghywir, fi yw honno. Dwi'n torri mwy o lestri na dwi'n eu

golchi. Dwi'n colli bwyd ar fy nillad wrth fwyta a dwi'n anghofus iawn. Os eith rhywbeth yn anghywir i mi y bydd o'n digwydd!

● Pa ddigwestiad sydd yn fwyaf gwir?

Mae Mam wastad yn dweud *felna* mae a *felna fydd hi* ne na *altrith pethau*. Alli di ddim dadle gyda hynna.

● Petai chdi'n cael trefnu gig, i pwy ar i pa fandiau fyddir fi'r gig, rhoi gwahoddiad?

Faswn i'n licio Steve Wonder, Take That a Madonna ac fe fyddai'n neis iyst ei gael o i'r tair ohona ni fel ein bod ni'n gallu siarad gyda nhw wedyn heb fod neb arall yn tarfu.

● Tryd oedd y tro diwethad iti ddiwend *celwydd*, ac maer gwir fach?

Y tro diwethad oedd ar raglen radio Luned Wigley. Fel ewis oedd o, *Call my Bluff*, ble medd yn rhaid i ni ddiwend un celwydd ac un gwirionedd, felly roedd yn rhaid imi ddiwend celwydd ar gyfer y rhaglen a dim ond un bach oedd o. Neu i ddiwend fy med i wedi rhoi oxo ciwb stock mewn *soup* llysieuwraig!

● Petai chdi'n cael clod ana dylyfeisio nurhlyewbeth, beth?

Faswn i wedi licio dyfeisio'r *mobile phone*, mae o'n *brilliant*. Dwi'n defnyddio fy un i lot gormod. Mae nhw'n handi iawn.

gan *Lois Eckley*

GARDD EDEN

"Ti angen dyn, ti angen cysur. Mae gen i'r cyffur os wyt ti mewn gwewyr," meddai'r arch-hync Dafydd Du yn ei gân anfarwol gyda'r Lêdis. Rhwng ei gampau ar y meysydd chwarae a'i berfformiadau ar lwyfannau Cymru mae gan DJ Ram Jam dipyn o feddwl ohono i hun, ond sut ddyn ydy o yn y cnawd? Merched y grŵp Eden sy'n datgelu'r cyfrinachau.

Sut lyddech chi'n disgrifio Dafydd Du mewn un frawddeg?
Non: Mae o'n ffres, yn ffanc a'i fyn ar byb beth sy'n digwydd yng Nghymru.
Emma: Mae o'n tett coll, yn dawel a sensitif, ond unwaith y mae o ar y radio mae o'n fwy slanudus a 'siave' - dyna'i ochr dda iddo fo.
Rachel: Mae o'n gefnogol iawn ac yn dda i'w gael o gwmpas ac wrth gwrs mae o'n dal, tywyll a golygus, ac mae ganddo fo 'chest' reit iawn.

Beth ydy'ch barn chi am ei lais a'i ddawnsio?
Emma: Mae o'n canu fo'n uniqrye iawn. Dydy o ddim yn gwenud rhyw glamocs nawn wrth ddawnsio, jest digon.
Non: Mae 'na tywbeth direidirs iawn ynglyn â'i gana fo, ac mae 'na botensial i'w ddawnsio fo.
Rachel: Llais 'gwahanol', ac mae o'n trio 'i ornio i ddawnsio - mae ganddo fo rythm beth hynnrag.

Sut briafiad ydy gwwittho gyda seren lachar fel Dafydd Du?
Rachel: Don ni'n heras lawn, Mi fasa 'na lot lawn o fwched yn licio cana a gwwithho hefo fo a 'dan ni wedt cael y fraint honno.
Emma: Mae o'n lyff. Does 'na ddim byd pen niawr amdano fo. Dydy o ddim yn 'i gymryd et hun yn rhy ddifrifol ac...

nee'n kofno cael hoyl.
Non: Mae o'n ntbych ar ein holau ni ar y Bwyfan, ac mae 'na lot o 'camaraderie'. Mae o'n gwenud yn siŵr eis hod of h rhas o'i sioc, ac mae o'n naio'r ent dda hofyd.

Oes yna un cyfrinach am Dafydd Du yr hoffech chi ei rhannu?
Emma: Mae o'n dda am wneud barbicia.

Non: Mae o'n eithal 'squirmish'. Dwi ddim yn meddwi i fod o'n medru cymryd sabwch yn dda iawn, mae o braidd yn sensitif.
Rachel: Dydi o ddim yn liciu fredha. Dydy o ddim yn ddyn y naw degau mae amo i cih.

Mae record newydd Ram Jam ar y gwerll droo yr haf

Shwrach Ram Jam, Iau, 10pm; a Ram Jam Sadwrn 10am.

Daf Du a'r lêdis!

Y Parchedig Pop.

EDEN BRIGHTEN UP LISA'S DAY

By HANNAH WRIGHT

A YOUNG music fan got the surprise of her life when her favourite pop stars dropped round for tea.

Five year old Lisa Evans, of Glascoed, near St Asaph, could not believe her eyes when members of the chart topping Welsh pop group Eden turned up at her house.

Lisa had telephoned Radio Cymru's programme *Oesiwnia* on Christmas Day last year to challenge them to find a duvet cover featuring her favourite all-girl band and she could not stop smiling when the chart toppers arrived in person to hand over the much awaited gift.

Mum Manon said: "Lisa absolutely loves Eden and she really wanted an Eden duvet cover for Christmas. We searched high and low without success and not even Father Christmas came up trumps, so we finally phoned the radio show to put the challenge to them."

The Radio Cymru production team , along with the help of Eden themselves, whose three members come from Abergele, St Asaph and Rhuddlan, finally succeeded in getting the first ever Eden duvet cover printed especially for Lisa.

Eden member Emma Walford, 24, said: "We're happy to oblige and it's great to meet one of our fans, especially one who's so dedicated. There are plans to put more Eden duvet covers on the market but they'll be different to this one as we'd like to keep it especially for Lisa as it's the first one ever made."

Eden, whose other members are Non Parry, 24 and Rachel Solomon, 23, have had great success with their fist album, *Paid A Bod Ofn*, which made it to the top of the Welsh charts.

They are currently working on a new album which they hope will be out in August and say their dream is to sing with

Nathon nhw ddillad gwely Eden yn arbennig i un ferch fach.

Mynd amdani!

Mae gan bobol ddiddordeb mawr yn y berthynas rhyngdda i a Caryl Parry Jones.

PARRY-DISE FOUND IN EDEN

Eden are the next big pop hope from Wales, and songwriter Caryl Parry Jones is helping niece Non Parry and the band reach for the promised land, as Zetta Morton reveals

Non Parry and Rachael Solomon

REMEMBER in the sixties when The Monkees shared a house on their TV show!

It was always hilarious to imagine them under each other's feet getting in each other's way.

Even The Beatles in their films shared everything living in the same house and Morecambe and Wise even slept in the same bed.

So when you hear that the three girls from Eden have shared a flat for years and think nothing of dipping in and out of each other's wardrobes, comic images of The Monkees are conjured up without any trouble.

They even apparently finished with their respective boyfriends at the same time and are

Despite the age gap, we are very sisterly

now all enjoying single life together.

So when you find that Eden singer Non Parry's cousin is Welsh singing star Caryl Parry Jones and that she teamed up with the group to help write most of the tunes on their album, Paid a Bod Ofn (Don't be Afraid) a picture of a very close 'family' unit is easy to see.

In fact, most of the songs on their debut were written over a bottle of wine or three at Caryl's home near Cowbridge.

Eden started more than two years ago but it had been up and running under the name Cola before that for a couple of months," says Non.

Eden came about when Rachael Solomon auditioned for a part in a girl band in London and told her two friends, Non and Emma Walford. They all auditioned and the three got the gig.

When their manager insisted that they lose weight, work out and generally fit into the role manufactured girl band, the trio decided was enough and gave him the push.

...40, played a major part in their ...advised them to be nice to them... ...et rid of the manager.

"Caryl and I have been very close for years now," says 24-year-old Non. "Despite the age gap, we are very sisterly. She helps me with loads of things and is my best critic."

"We didn't want to be a female Take That," she says. In fact, Caryl, known for her singing and TV career in the 70s and 80s, was integral in getting cousin Non into showbusiness.

"Caryl invited me to Cardiff for a holiday and encouraged me to go to Trinity College, Carmarthen, to do theatre studies. It was the best thing I could have done."

Non was in school with Rachael and met Emma in the local choir.

With Caryl's history of writing rock operas and songs for Welsh singers as well as her own shows, the girls got her to create a sound that was young and funky but still Welsh.

"Writing for Eden has been one of the highlights of my career," says Caryl.

She lives with husband Myf and their four children, and has enjoyed an amazing career as a writer, composer and all round entertainer for two decades. She even had her own show,

FAMILY AFFAIR: Non Parry, above, has teamed up with Caryl Parry Jones, left

singing and doing impressions, called Caryl.

"Eden are so enthusiastic and vibrant and that mix must mean success," she says.

This August at the National Eisteddfod, Eden will be joining Caryl to help her celebrate 21 years in showbusiness.

"We are all really excited," says Non. "When we were growing up Caryl was the business.

"Eden is still fairly new and we are enjoying what we are doing. But of course we dream about being on Top of The Pops, especially after the success that Catatonia has had.

"We're completely different to the Spice Girls though and when people tell us we can actually sing, we take it as a huge compliment. Caryl has written some brilliant pop tracks.

"As much as we hate being called the Welsh Spice Girls, I am sure we have a lot to thank them for. They made girl bands acceptable."

They're as feisty as the Spicy ones, but the difference that puts them heads, shoulders and buffy hairdos ahead is their singing.

Non is young and enthusiastic and with her best friends and cousin, has found a niche that could be perfectly shaped for their trendy Welshness, now that Welshness is trendy.

"The first time somebody recognised me, Rachael and I were shopping for knickers in Marks and Spencer. Somebody asked if we were in Eden. We got so embarrassed we grabbed our knickers and ran!" says Non.

"It's an experience they are getting more used to, especially since they live together, go out together and are closer than sisters.

Eden has had the help of Take That's choreographer Kim Gavin which has helped them launch themselves as the next big thing.

Hopefully they are only a step away from making it.

Caryl yn cynghori - ymarfer cân newydd yn y stiwdio

Sesiwn recordio yn Stiwdio'r Efail efo Caryl yn dysgu'r harmonïau fel oeddan ni'n mynd ymlaen. Roedd y dyddiau yna yn GYMAINT o laff.

Fel arfer roedd rhaid i Rach a fi sefyll ar focsys er mwyn i ni i gyd gyrraedd y meic!

Cyflwyno'r rhaglen gerddoriaeth
Garej gyda Tom Raybould ar S4C.

Mae cael dawnswyr
yn riiiiiili neis!

Hotel Eddie.

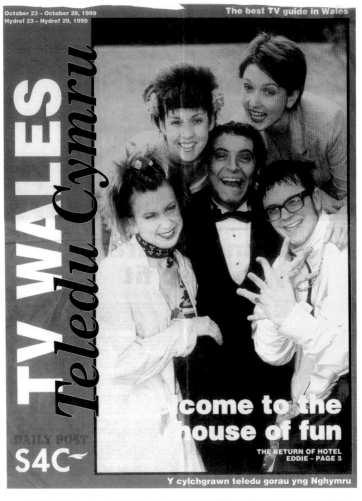

October 23 – October 29, 1999
Hydref 23 – Hydref 29, 1999

The best TV guide in Wales

TV WALES

Teledu Cymru

DAILY POST

S4C

Welcome to the house of fun

THE RETURN OF HOTEL
EDDIE – PAGE 5

Y cylchgrawn teledu gorau yng Nghymru

Chwilio am gân i Gymru

Dwi 'di neud bron iawn popeth ar wahân i weithio'r camera ar *Cân i Gymru* dros 25 o flynyddoedd! Mae'n rhan ohona i rŵan!

Spicy taste of Wales

RHUDDLAN'S Non Parry is to represent the Denbighshire area in the S4C competition, A Song For Wales.

Non, who is one third of up and coming all-girl band, Eden, will perform the song, Dôl A Bryn, (which means Vale and Hill in English) in the competition which is to be screened on S4C at 7.15pm on Saturday March 1.

After that who knows what the future holds for Non – Spice Girls type fame or a even a place in Euro Pop history?

Eden's Non Parry

Talented team's winning song will represent Wales

ST David's Day could hardly have been a happier occasion for a singer from the area who played a winning role in a national showpiece.

Non Parry, of Rhuddlan, co-sang the winning entry in the final of S4C's *Cân i Gymru* (Song for Wales) competition on Saturday evening.

The song, *Oes Lle i Mi ? (Is There a Place for Me ?)*, was performed by Non and Steffan Rhys Williams and co-written by Emma Walford, of Abergele, and Mererid Hopwood.

Non and Emma are very well acquainted as both are members of the Welsh pop band Eden.

Oes Lle i Mi?, a romantic, emotional ballad focusing on a couple's relationship going through a tough time but with a happy ending, polled over 4,000 viewers' votes to take first prize.

It was a nail-biting occasion for all concerned as the song was the last of the eight finalists to bear its grand total.

Emma and Mererid, who was the first woman to win the National Eisteddfod chair, now share the grand prize of £10,000 and the song will represent Wales at the Annual International Pan-Celtic Festival in Ireland later this year.

The song-writing team are sisters-in-law and Emma said some of her prize money will go towards boosting the career of Eden, the popular all-girl band.

"Winning *Cân i Gymru* was a fantastic experience. Neither Mererid nor myself expected to reach the final, let alone win it," said Emma, 29, who now lives in South Wales with husband Huw and daughter Anni.

"We've never written anything together before, I had this idea of writing a sad love song but had to turn to a wordsmith like Mererid to express the idea in words."

S4C viewers were given the opportunity to firstly vote for their favourite two songs from four heats, spread over four nights, with the eight winners qualifying for the final.

Winners: Clockwise, Emma, Mererid, Steffan and Non and right, Non and Steffan on stage.

Ennill *Cân i Gymru* 2002.

Oli Odl a Marcaroni – fi a'r gorj Mark Evans.

Fi a Michael Ball yn y Baftas.

Ymgyrch 'Paid â Bod Ofn' i meddwl.org

Tu ôl i bob archeb roedd stori. Dwi'n dal i wenu pob tro dwi'n gweld rhywun yn gwisgo un o'r crysau T hyn.

hawlfraint: Celf Calon

Joio bod yng nghanol y ddwy yma.

Un o'n hoff lunie i ERIOED. OMB dwi'n caru nhw.

i wedi dechre ar rwtîn, yn cerdded ar hyd yr un *bridle path* pob dydd, ond weithiau roedd y llwybr yn anwastad ac yn anodd i gerdded arno achos bod carnau'r ceffylau wedi gadael eu hôl. 'Nes i ddechre meddwl am hwn fel rhyw fath o fetaffor o 'mywyd i!! Y teimlad o drydjio drwy'r mwd ar y llwybr cul cloddiog 'ma pob dydd, cyn cyrraedd tir gwastad agored hawdd. Fel 'sa'r cerdded yma yn fy atgoffa, ydw, dwi'n mynd i stryglo weithie ond un droed o flaen y llall a deith pethe'n haws eto. 'Nes i hefyd ddechre dod i 'nabod' rhai o'r coed o'n i'n eu pasio pob dydd, a dechre deud 'helô' wrthyn nhw. Fel dwi 'di sôn eisoes, mae un o'r coed yma mor sbesial i fi dwi'n rhoi hyg iddi pob tro dwi'n mynd heibio iddi... iep. Dwi'n un o'r rheina... *tree hugger*. A phan dwi'n edrych 'nôl ar fy ffrind gorau i, y goeden tu allan i tŷ Mam a Dad, dwi'n sylwedoli bo fi wastad wedi teimlo cysylltiad greddfol hiwj gyda natur, 'nes i jyst anghofio am ryw 40 o flynyddoedd!

Dydi natur ddim yn beirniadu. Wrth gwrs, o'n i'n teimlo'n hyderus i siarad efo coeden pan o'n i'n fach, doedd hi byth yn neud i fi deimlo fath ag idiot! A dwi'n gwybod y bydd rhai ohonach chi sy'n darllen hwn yn meddwl, 'wel, lle ti'n stopio efo hynna, Non? Mae lot o bethe *inanimate* yn debygol o bod yn *non-judgy*. Wyt ti'n siarad efo'r tegell? Y ffrij? Dydan nhw ddim yn *judgy* chwaith.' (Actiwali mae ffrij fi yn gallu bod yn RILI *judgy* weithie.) Ond mae coed yn bethe byw, sydd hefyd yn newid, yn colli dail, yn eu tyfu nhw 'nôl, yn plygu yn y gwynt. *Survivors*. Siriysli, os na dach chi 'rioed 'di hygio neu siarad efo coeden, *give it a whirl*! Mae'n rili neis!

Tydi natur ddim yn ymddiheuro am unrhyw newid mewn mŵd! Tydi'r gwynt, er enghraifft, ddim yn meddwl bo rhaid iddo fod yn neis ac yn addfwyn drwy'r amser. Weithie mae o'n wyllt, weithie mae'r afon yn llifo'n araf a thawel, a weithie yn ffyrnig a chyflym. Pam dwi'n meddwl bod rhaid i fi deimlo'n *weird* neu ymddiheuro am fod yn unrhyw beth ond addfwyn a thawel? 'Di hynna ddim yn naturiol! Dwi'n siŵr tasan ni'n rhoi'r gorau i baffio'r tywydd neu 'dymhorau' gwahanol dan ni'n eu profi yn feddyliol ac yn emosiynol a jyst derbyn ein bod ni'n gorfod bod fel yna weithie, fysan nhw ddim cweit mor *exhausting*. Mae paffio gorbryder neu iselder yn ychwanegu at y blinder a'r trymder. Dwi'n ddigon ffodus bo fi ddim yn diodde yn ormodol gyda'n hormonau pob mis ond mae'n fy nharo i ei fod o'n ridiciwlys ac annheg i ddisgwyl i ferched sy'n teimlo fath â llew cynddeiriog drio peidio â theimlo fel yna. Mae natur yn amlwg isio iddyn nhw fod fel yna, so gore po gynta ein bod ni i gyd yn derbyn bod pennau yn mynd i gael eu rhwygo ffwrdd (metafforicali wrth gwrs). Mae'r un peth yn wir am hapusrwydd. Y cwbwl dan ni isio gweld ydi heulwen, a falle eira achos mae hwnnw'n lyfli ac yn fflyffi ac yn wyn, ond nawn ni ddim godde glaw, neu lwydni. A dan ni i gyd yn gwybod bod *shit* yn hitio'r ffan os nag oes glaw, panics llwyr, lawntiau sych melyn a *hose pipe bans*. Dan ni angen glaw, mae'n cadw pethe'n iach. Felly pan mae'r glaw yn fy mhen yn dod i *stop play* am 'chydig dwi'n trio derbyn bod hynna'n golygu bo fi'n iach, neu o leia bydda i'n iachach unwaith iddo basio. Achos dwi'n teimlo.

Ymarfer corff

'Nes i rywsut gonfinsio'n hun bo fi'n eitha *sporty* am flynyddoedd achos o'n i'n is-gapten tîm Aled yn yr ysgol gynradd unwaith ac yn gallu rhedeg yn eitha sydyn, ond ar wahân i ambell un o fideos ymarfer corff Cindy Crawford o gwmpas 1994 'nes i absoliwtli ffyc ôl tan ar ôl cael y trydydd plentyn yn 2009. Yn gynta 'nes i ddechre trwy neud Aqua Fit yng Nghanolfan Hamdden Crymych pob bore Sadwrn – o'n i'n 35 ar y pryd a doedd neb arall yn y dosbarth o dan 65. Fel rhywun sy'n *intimidated* yn hawdd iawn, yn *socially awkward* a wedi osgoi dosbarthiadau ffitrwydd erioed, roedd hon yn ffordd *gentle* iawn i gychwyn. Doedd dim rhaid i fi drio cystadlu, oeddan ni i gyd yn ffans o *elasticated waists*, dim ond ein pennau oedd i weld allan o'r dŵr ac roedd y *playlist* yn Abba *heavy* ofnadwy. Perffaith. Doedd dim rhaid i fi boeni am drio neud ffrindie achos doedd ganddyn nhw ddim lot o ddiddordeb yndda i gan bo fi'n 30 mlynedd plys, yn iau ac o'r gogledd. Ond 'na i ddeud wrthoch chi be, oeddan nhw'n groesawgar ofnadwy a nathon nhw ddysgu LOT i fi am *body confidence*. Tra o'n i'n cydio yn dynnach yn fy nhywel nag yn *safety bar* y Big Dipper, roedd y merched yma yn gwbwl hapus yn siarad am y *bifocals* newydd roeddan nhw 'di ordro yn complîtli noeth a moooor *casual*. *HIGH FIVE, MY SISTAS!!* Ond dim jôc, fe wnaeth y rwtîn bach yna pob bore Sadwrn a nos Fawrth rili helpu gyda'n hyder i. Dim jyst gweld bod fy ffitrwydd i'n gwella a 'nghorff i'n newid siâp ond jyst o ran gadael y tŷ, a gorfod siarad efo pobol!

Cyn hir o'n i mewn dosbarth aerobics YN SIARAD efo pobol, munud nesa yn aelod o'r *gym* lle 'nes i ffeindio *treadmill* ac yn aml iawn roedd boi bach o'r enw John ar y *treadmill* nesa ata i. Roedd John, 'sen i'n deud, yn ei 60au hwyr, falle 70au, ac yn rhedeg fath ag Olympian. Nath o ddechre rhedeg i wella ei asthma, mae'n debyg, ac oedd o'n foi hollol *charming*, ac *annoyingly* yn gallu rhedeg A siarad ar yr un pryd. Do'n i ddim rili yn gallu neud hynna ond oedd o'n dal i siarad efo fi. Fel dwi'n deud, oedd John yn LYFLI ond weithie os fyswn i'n ei weld o'n cyrraedd fysa fy nghalon i'n suddo achos o'n i'n gwybod bod John yn mynd i fonitro faint o'n i'n rhedeg. Tra oedd John yna doedd dim opsiwn i stopio. Heb yn wybod iddo, John oedd fy *personal trainer* i. Roedd o'n gallu rhedeg am awr yn hawdd, tra o'n i'n gweithio at redeg 5K. Cymrodd hwnna *aaaaaaaages* i fi neud heb slofi neu stopio, ond 'nes i gario mlaen achos oedd John mor falch ohona i!! Yn sylwi bod *form* fi'n gwella a bo fi heb slofi gymaint rhai diwrnode. O'n i 'di dechre gallu rhedeg A siarad efo fo, yn gwybod popeth am ei wraig a'i blant, ac roedd ganddo fo ddiddordeb lyfli yn y gwaith o'n i'n neud ac yn rhannu cymaint oedd o'n mwynhau cerddoriaeth a pherfformio fel hogyn ifanc. Fel dwi'n deud, weithie o'n i'n dredio gweld John yn dod trwy'r drws achos o'n i'n gwybod bysa'n rhaid i fi siarad efo fo, ac mae rhan hiwj ohona i isio osgoi siarad efo UNRHYW UN (so paid â'i gymryd o'n bersonol, John), ond ar ôl siarad efo fo, o'n i POB TRO mor falch bo fi wedi neud. Roedd o fath â fy *personal trainer* sgiliau cymdeithasol i hefyd. Ac yn *sneaky* 'nes i ddal y *thing* 'na mae pobol yn sôn amdano am redeg, y *bug*, yr angen i redeg... ANGEN rhedeg!! *I KNOW!!* Dwi dal yn gorfod neud rhyw fath o ymarfer corff peth cynta yn y bore o ddydd Llun i ddydd Gwener er mwyn teimlo bo fi'n gallu cyflawni popeth arall sydd angen ei neud am weddill y dydd. Mae o wedi dod yn rhywbeth dwi methu neud hebddo, neu o leia methu bod yn OK yn fy mhen i hebddo.

Dwi 'di bod off ac on meddyginiaeth ers blynyddoedd, ond ymarfer corff yw Y cwic ffics a'r cymorth mwya cyson i'n iechyd meddwl i heb amheuaeth. Dwi'n siŵr eich bod chi wedi cael hen ddigon ar glywed pobol yn deud 'sdim ots faint dach chi ddim isio neud ymarfer corff newch chi byth ddifaru neud o', ond *annoyingly* mae hynna'n wir. Blydi anodd i gredu ar fore oer llwyd pan mae soffas a *Netflix binges* mor *awesome* ond mae'n wir. Jyst fel siarad efo John, weithie do'n i rili ddim isio rhedeg, ond o'n i wastad mor falch bo fi wedi neud. Nath rhedeg gydio yndda i achos do'n i RILI ddim isio'i neud o. OND y peth gyda'r gorbryder oedd doeddwn i ddim isio neud UNRHYW BETH, roedd POPETH yn edrych yn rhy anodd felly o'n i'n rhedeg cyn trio neud unrhyw beth arall, jyst bob yn ail ddiwrnod, peth cynta ar ôl mynd â'r plant i'r ysgol. Ac unwaith o'n i wedi neud y *dreaded* rhedeg, oedd popeth arall do'n i ddim isio neud yn edrych yn *doable*. A fel yna dwi'n meddwl nath o ddechre teimlo fel cyffur i fi, fel *magic trick* oedd yn rhoi lens gwell ar y diwrnod. O'n i'n prowd o'n hun peth cynta yn y bore ac roedd hynna'n cael *knock-on effect* rili dda ar weddill y dydd. Ond peidiwch â disgwyl cyrraedd lle ble dach chi'n neidio allan o'r gwely yn methu aros i fynd i'r *gym*, dwi ddim yn meddwl bod hynna'n *thing* – wel, 'dio ddim yn *thing* i fi beth bynnag – ond newch chi deimlo'n *awesome* yn gadael y lle. Hyd yn oed os dach chi'n mynd 'nôl at y soffa a Netflix, gewch chi neud hynna'n lyfli a smyg. Ac os dach chi dal ddim yn *convinced* gyda'r busnes rhedeg/ *gym*/sbin *whatever*, jyst trïwch neidio o gwmpas y gegin 'chydig bach. Mae blast bach o Wham a *jiggle jiggles* am ddeg munud yn ddigon o *outlet* i gael gwared ar unrhyw adrenalin sydd ddim yn eich helpu chi, neu yn ddigon o symud i godi 'chydig ar eich endorffins chi. Does dim un ffordd bendant i oroesi iselder neu orbryder, ac mae digon o bobol fel fi sy'n bombardio chi gyda be sydd wedi'u helpu nhw... ond yn y pen draw chi sy'n nabod chi, peidiwch â gadael i ormod o gyngor gan hwn a'r llall (yn cynnwys fi) swampio chi. Jyst ffeindiwch eich ffordd chi o symud. Mae jyst symud 'chydig bach yn gallu newid LOT.

Ond os dach chi rili methu symud...

Gwrandewch ar 'How Deep is Your Love', fersiwn gwreiddiol y Bee Gees. Mae o fath â majic, mae'r 'haaaaaaaaaaa' cynta 'na fel bath a haul yn codi ac yn machlud a hyg gan dedi sgwoshi anferth ar yr un pryd. (Dwi'n CARU chi, Take That, ond dim ond y fersiwn yma sy'n gweithio.)

Stres

Dwi 'di sticio at yr un math o system i gadw fi'n *buoyant* ers tua 12 mlynedd rŵan. Wrth gwrs, mae dal ambell i blip i'n iechyd meddwl i ond yn aml dwi'n gallu gweld patrwm neu reswm am y pwl ych a fi. A fel arfer mae'n codi ei ben os dwi wedi bod yn rhy brysur i edrych ar ôl fy hunan. Yn ddiweddar ges i'r cyngor gore erioed i edrych ar ôl fi fy hun.

Yn 2018–19 aeth pethe yn fwy stresffwl i'r teulu achos iechyd Iwan. Dim ei fod o wedi dod o nunlle, wrth gwrs, ond roedd ei aren wedi dirywio i'r pwynt ble roedd rhaid cael sawl sgwrs rili siriys gyda'r consyltant am y pethe sneb isio eu trafod na'u clywed, fel *life expectancy* a phethe rili ypbît fel yna. Roedd yr amser wedi dod i Iwan ddechre dialysis a rhoi ei enw ar y *deceased donor kidney transplant list* ac roedd hynny'n golygu nad oeddan ni'n gallu trafeilio ymhellach na dwy awr o'r ysbyty yng Nghaerdydd, a bod angen neud penderfyniadau ynglŷn â pha ddialysis i gymryd. Cymeron ni'r opsiwn dialysis gartre, ac roedd rhaid i Iwan a fi drawsnewid y llofft i radde i gadw'r offer, a dysgu sut i roi'r driniaeth i Iwan. Roeddan ni'n agored iawn efo'r plant am y sefyllfa achos o'n i'n teimlo'i fod o'n well iddyn nhw wybod y ffeithie i gyd, ac i beidio â chuddio Iwan allan o'r ffordd rhag iddyn nhw greu darlun gwaeth yn eu pennau. Ond mi gafodd salwch Iwan, a gweld yr offer o gwmpas y tŷ, effaith eitha trawmatic ar Kitty oedd ond yn ddeg oed ar y pryd. Doedd hi ddim isio gadael Iwan allan o'i golwg, a nath hi ddatblygu cyflwr o'r enw emetoffobia, sef ofn difrifol o fod yn sic. Felly oedd hi'n aml yn gwrthod bwyta ac aeth hi'n ofnadwy o denau a gorbryderus. Ond er hyn i gyd dwi'n cofio teimlo'n iawn ar y pryd, yn *focused*, jyst cadw at yr amserlen a neud i'r sefyllfa newydd yma deimlo'n normal i bawb yn y tŷ, yn enwedig Kit.

Roedd gwaith yn anodd i Iwan, nid yn unig achos roedd o erbyn hyn yn blino lot yn gynt ac wrth gwrs yn gorfod stopio i neud dialysis pedair gwaith y dydd, ond hefyd rŵan ei fod o ar y *deceased donor kidney transplant list* doedd dim deud pryd fysan ni'n cael galwad i ddeud bod yna aren iddo. Felly doedd heirio Iwan i fod yn rhan o ddrama neu gyfres ddim yn opsiwn saff iawn i unrhyw gwmni theatr neu deledu. Wrth gwrs, roedd poeni am incwm yn bach o *issue*, ond hefyd tydi Iwan ddim rili'n hapus heb waith. Mae o'n rili licio bod yn yr awyrgylch creadigol yna ac roedd bod adre heb ddim lot i neud ac efo lot o amser i feddwl yn mynd â fo i lefydd isel iawn ar adegau.

Yn ystod y cyfnod yma, o'n i'n trio gweithio cymaint â phosib, neu o leia'n trio creu gwaith, a heb sylweddoli hynna aeth fy nghorff i mewn i ryw *overdrive weird*. Yn sydyn 'nes i ddechre ffeindio rash ym mhob man ac roedd lympie mawr yn codi ar fy nghoesau ac ar fy nghefn. O'n i hefyd wedi dechre cael y poenau mwya ofnadwy yn fy nghymalau oedd yn fy nghadw i'n effro am orie yn y nos, felly roedd fy nghwsg i drost y siop i gyd eto. Es i at y doctor a nath hi ofyn os o'n i'n stresd o gwbwl a'n ateb i oedd 'na'... achos doeddwn i *genuinely* ddim yn teimlo'n stresd. Dwi'n gyfarwydd iawn gyda stres a dwi 'di teimlo'n lot mwy stresd am fynd i bostio *returns* rhywbeth gwirion dwi 'di'i brynu ar ASOS. Ond aeth y doctor ymlaen i ofyn y cwestiwn yma:

'Do you have anything going on at work or at home that could be stressing you out?'

'Well, my husband's on a kidney transplant list and my daughter has stopped leaving the house... and eating.'

'That will do it.'

'I'm not sure it is stress. My head doesn't feel stressed, it has felt a lot worse than this over nothing in particular.'

'Well your body is clearly telling you otherwise.'

Rŵan mae'n hollol amlwg bo fi 'di jyst gwthio'r stres i rywle. Achos dan ni'n defnyddio'r gair 'stresd' drwy'r amser: 'Oooo mae'r hob 'ma'n stresio fi allan.' 'Mae siopa am jîns MOR stresffwl.' 'Mae'i llais hi'n stresio fi allan.'

Dan ni 'di colli ystyr y gair... wel... cyflwr 'dio ddim gair! Mae stres yn rili beryg, 'di prynu jîns ddim yn beryg (wel, actiwali mae'n gallu bod!). Felly dyma pryd 'nes i ddysgu popeth am y stres hormon cortisol a'r effaith mae gormod o adrenalin yn gallu ei gael ar eich corff. Os dach chi, fel o'n i, yn meddwl... be *the heck* yw cortisol? – wel, dyma chi wers fach sydyn. (Ydw i angen eich atgoffa chi bo fi ddim yn ddoctor? Plis defnyddiwch y wybodaeth yma fel platfform. Defnyddiwch Google i ffeindio allan beth mae actiwal pobol feddygol yn ei ddeud, ond dyma'r jist o be dwi'n ddeall.)

Felly tu ôl i'r symtomau corfforol dan ni'n gael pan dan ni'n profi cyfnodau o orbryder neu stres mae sawl hormon yn ychwanegu tanwydd at y tân fel petai. Un yw adrenalin, fel o'n i'n sôn, sy'n rhan o'r *fight or flight*, un arall yw hormon o'r enw cortisol. Meddyliwch amdano fo fel *built-in alarm system* i'r corff, felly pan dan ni'n synhwyro sefyllfa stresffwl mae cortisol yn cael ei ryddhau ac mae curiad y galon yn cynyddu a'r pwysau gwaed yn codi ac mae'r cyhyrau'n tensio. Mae o'n neud mwy neu lai yr un peth ag adrenalin, ond yn arafach. Fel adrenalin mae cortisol yna i'n helpu ni, ac i'n cadw ni'n ddiogel rhag pethe sgêri pan mae'n corff ni'n symud i *survival mode*. Yn anffodus, mae o weithie'n gallu hongian o gwmpas 'chydig yn rhy hir. Os dach chi'n stiwio ar broblem neu sefyllfa mae'r corff yn gallu parhau i gynhyrchu cortisol ac mae hynna'n gallu cael effaith wael ar y corff.

Achos bo fi yn y *fight or flight* eitha parhaol yma mae'n adrenalin i a'n cortisol i'n mynd yn nyts, ac yn achosi *inflammation*, poenau yn y cymalau, y rash a'r lympie 'ma os nad ydw i'n trio cadw rheolaeth ar bethe a chadw'n hun, yn syml iawn, yn wastad.

Mae ymarfer corff yn ffordd sydyn a naturiol i gael gwared ar yr adrenalin ychwanegol yma sydd gen i. Dwi'n mynd â'n hun allan am dro fel mae rhywun yn neud efo ci bach, neu rieni efo plentyn, er mwyn cael gwared o 'chydig o'r egni yna, ond ar yr un pryd i roi egni gwahanol i fi. Egni sy'n rhoi elfen o reolaeth i fi – mae'n egni positif yn hytrach na *nervous energy*.

Felly o'n i 'nôl ar fwy o feddyginiaeth, *antidepressants* gwahanol ac *antihistamines* cryf. Sgen i ddim problem o gwbwl efo *antidepressants* (dim ond y ffaith eu bod nhw 'rioed wedi cael gwared ar y gorbryder na'r iselder i fi'n bersonol) ond doeddwn i rili ddim yn dod ymlaen yn grêt gyda'r *antihistamines* achos oeddan nhw'n nocio fi allan (rhan o'r rheswm wnaeth y doctor bresgreibio nhw oedd i'n helpu i i gysgu). O'n i'n gwybod bod teimlo'n slow a thrwm yn mynd i neud y broblem yn waeth i fi, neu o leia slofi lawr y broses o wella 'mhen i. Yr unig ffordd o'n i'n gweld o'n i'n mynd i wella oedd trwy symud. (*Plus* mae'n rili anodd gweithio a bod yn fam briliant pan ti'n *drowsy* drwy'r dydd.) Felly 'nes i benderfynu mynd at faethegydd i weld os oedd 'na le i fi wella sut o'n i'n bwydo'r peiriant 'ma! Achos dan ni'n gwybod bod y linc rhwng y *gut* a'r meddwl yn HIWJ. A dwn i'm os o'n i jyst yn lwcus i ffeindio un RILI dda ond roedd ei chyngor a'i dealltwriaeth o'r cysylltiad rhwng y meddwl a'r corff yn anhygoel. Roedd siarad efo hi fel siarad efo therapydd a seicic mewn un! Roedd hi fel tasa hi'n gallu darllen fy meddyliau i trwy glywed am fy symtomau corfforol a'r patrymau bwyta/gorffwys/cysgu o'n i wedi eu datblygu. Nathon ni ddim neud newidiadau hiwj i beth o'n i'n ei fwyta, ond gneud pethe amlwg fel cael gwared o gaffîn (wrth gwrs oedd hynna'n mynd i effeithio ar fy adrenalin a 'nghwsg, a neud fi'n fwy *jittery*... pam 'nes i ddim meddwl am hynna?), a bwyta bwydydd llai *inflammatory* (mae stres yn achosi *inflammation* yn y corff, dyna oedd y broblem gyda'r cymalau poenus). Ond mwy na dim jyst amrywio be o'n i ei fwyta. Felly eto, mewn ffordd, ymlacio 'chydig mwy. O'n i'n styc mewn *rut* o fwyta'n 'dda' ond yn RILI boring, hynny yw boring yn yr ystyr bo fi'n rhy ailadroddus a chul/strict. A 'run peth gydag ymarfer corff, o'n i'n sticio i'r un hen 30–40 min. HIIT ar YouTube neu redeg 5K pob yn ail ddiwrnod. Ei chyngor hi oedd bod angen i fi neud pethe llai *high impact* a *strenuous* a jyst chilio allan 'chydig. Grêt bo fi'n ymarfer corff pob dydd ond doedd dim angen i fi fod mor *regimental*. Roedd hi isio i fi gerdded yn lle rhedeg a dechre neud ioga yn lle HIIT.

Ond do'n i RILI ddim yn siŵr achos i fi yr ymarfer corff yna oedd y cyffur gore i fi, heb hynna falle 'sen i'n mynd i rywle gwaeth fyth yn fy mhen. A doedd y rwtîn newydd yma ddim yn gyfforddus i ddechre o gwbwl.

Roedd o'n teimlo'n rong i beidio bod yn symud symud symud ac o'n i'n teimlo bod ioga a cherdded yn rhy syml, rhy hawdd rili i fod o unrhyw fudd corfforol, ond ar ôl tua tair wythnos o'n i GYMAINT gwell.

Roedd yr ymarfer corff *high impact* wedi bod yn ychwanegu at yr adrenalin a'r *inflammation* yn fy nghorff, ac wrth slofi lawr aeth y symtomau yn gyfan gwbwl a daeth y rwtîn newydd â chymaint mwy o falans i'n meddwl a 'mywyd i. Do'n i ddim yn cael yr un *highs and lows*. A 'nes i rili syrthio mewn cariad gyda ioga. O'n i'n teimlo'i fod o'n fy helpu i i siarad efo'r llais mewn ffordd lot mwy adeiladol! Yn lle trio chwipio fo ffwrdd efo ymarfer corff agresif o'n i rŵan yn siarad efo fo gydag amynedd a rhyw fath o *acceptance*. Roedd hynna'n RILI newydd! A dyma'r tro cynta i fi ddechre siarad efo 'nghorff, neu o leia siarad yn garedig efo 'nghorff. Be mae ioga'n neud i fi ydi dod â fy sylw at bob un rhan ohona i, y corff a'r meddwl, a dwi'n sylwi mor anhygoel ydi'r peiriant yma sy'n fy nreifio i o gwmpas, a faint mae o'n neud i fi. OK... dwi'n gwybod... dwi'n dechre swnio'n smyg a *patronising* so gadewch i fi eich sicrhau chi, dwi ddim wastad yn sticio at y cyngor dwi'n cael, ac ar ôl cyfnod rili dda o'r bwyd a'r rwtîn newydd nath gwaith ddechre peilio fyny a 'nes i ddechre deud wrth 'yn hun bod gen i ddim amser i gerdded na neud ioga a doedd gen i ddim amser i fwyta'n iawn ac, wrth gwrs, 'nes i fynd yn orbryderus eto, a methu cysgu eto, ac roedd gwaith wedyn yn teimlo'n amhosib achos doedd gen i ddim egni.

Dyna pryd nath y maethegydd roi'r cyngor gore erioed i fi. Nath hi ddeud bod rhaid i fi ffeindio *non-negotiables* a sticio atyn nhw, sdim ots pa mor brysur o'n i'n meddwl o'n i. A'n *non-negotiables* i oedd i roi hanner awr i awr i fi'n hun POB dydd, i gerdded neu i neud ioga. Roedd hi'n amlwg bod peidio neud y pethe hyn er mwyn rhoi'r amser yna at waith neu waith tŷ yn wrthgynhyrchiol achos o'n i'n rhy stresd a rhy flinedig i weithio'n briliant beth bynnag. Roedd yn well ganddi hi feddwl bo fi'n gadael i'r tŷ fynd yn llanast a bod y golchi'n peilio fyny yn ystod cyfnod gwaith prysur na pheidio rhoi awr i fi fy hun pob dydd. Ac wrth gwrs, roedd hi'n iawn. O'n i'n berson lot neisiach hefyd efo tŷ *upside down* ond *who cares?* Roedd dal *lockdowns* pob pum munud so doedd neb yn cael dod i fewn eniwe. *Every cloud!* Ond falle eich bod chi'n ffrîcio allan yn meddwl am dŷ blêr a mai cadw tŷ bach twt a thaclus fysa'ch *non-negotiable* chi i gadw'r pen yn iach. Awr o ddarllen, bath pob nos, pennod o rywbeth ar y teli, coginio a bwyta stwff lyfli, beth bynnag yw'ch *thing* chi, newch yn siŵr eich bod chi ddim yn pwsio hwnnw i ddiwedd y list. Ffeindiwch *non-negotiables*, mae'n rili neud bywyd yn haws.

Colli Mam

Yn 2005 ges i alwad ffôn gan Mam i ddeud bod ganddi gancr y fron. Daeth y newyddion o nunlle ac o fewn eiliadau drost y ffôn 'nes i fynd o'r diagnosis i gladdu Mam yn fy mhen. O'n i 'rioed wedi teimlo'r fath ofn, oedd o'n *suffocating*. O edrych 'nôl, cyfnod anodda'r salwch hir i fi oedd yr wythnosau cynta ar ôl y diagnosis. Roedd rhaid derbyn bod 'na siawns real iawn y bysen i'n ei cholli hi. Dwi'n meddwl mai beth oedd yn ei neud o'n anoddach i fi oedd bo fi'n fam rŵan hefyd, ac roedd rhoi fy hun yn ei sgidie hi, yn wynebu'r posibilrwydd ei bod hi ddim yn mynd i gael bod efo'i phlant hi, na'n plant ni, lot yn hirach yn *terrifying*. Roedd o'n gancr eitha agresif hefyd ac roedd angen *chemo* agresif i drio'i daclo fo. Yn anffodus, gath Mam ymateb gwael i hynna a nath o niwed ofnadwy i'w cholon hi gan ei gadael hi yn *intensive care* am ychydig. Doedd pethe ddim yn edrych yn dda o gwbwl am gyfnod. Doeddwn i ddim yn gwybod ar y pryd y byse Mam yn paffio'r salwch mor hir. Fel mae pob triniaeth yn mynd yn ei blaen, dach chi'n dod i arfer efo'r bywyd newydd *weird* 'ma. Y *chemo*, teimlo'n sic, teimlo 'chydig yn well cyn rownd arall o *chemo*, eto ac eto a rownd a rownd. Trio ffeindio rhywbeth oedd hi isio bwyta ar ôl colli blas ar bopeth, trio edrych ymlaen at rywbeth drwy'r amser: gwylie haf, Nadolig, Pasg. Symud *goal posts* drwy'r amser. Mae'n rhyfedd mor 'normal' mae pethe'n dechre teimlo. Mae'n anhygoel y cryfder mae rhywun yn ei ffeindio, Mam a ninne fel teulu, i jyst cario mlaen, cadw fynd. O'n i'n trafeilio 'nôl a mlaen o'r de i'r gogledd yn aml iawn i weld Mam yn ystod y flwyddyn gynta *awful* yna, i fod efo hi yn yr ysbyty. Un bore o'n i yn nhŷ Mam a Dad, Dad wedi mynd allan i siopa neu rywbeth a dyma'r ffôn yn canu. Fel arfer Dad fysa wedi codi'r ffôn ond gan mai jyst fi oedd yna, dyma fi'n gneud.

'Hi, is Gwyn there?'

'No, he's not at the moment, can I help?'

'Oh, is that Non? It's the hospital.'

'I thought so... is everything OK?'

'Your Mum's a bit upset, her hair has started to fall out. I think she needs someone with her, and some scarves if you have any?'

'Oh... of course, I'll be there now.'

Ffôn lawr. Ges i ryw ddeg eiliad o 'OND DWI'N RHY FACH!!! LLE MAE PAWB ARALL? FI 'DI'R BABI!! DWI METHUUUUU!!' cyn wrth gwrs meddwl, *'get a fucking grip*, Non, nôl y sgarffie' (oedd Mam yn BIG sgarff ffan so oedd ganddi *LOADS*, ffiw) ac i mewn i'r car. *Not gonna lie*, o'n i'n BRICIO'N hun. Sut fysa hi'n edrych? Fyswn i'n llwyddo i edrych yn cŵl am hynny? Sut fysa Mam yn côpio yn emosiynol. Sut fyswn i'n côpio efo hi? (Dwi'n gwybod ei fod o'n swnio mor FI FI FIIII.) O'n i isio'i chyrraedd hi mor sydyn â phosib a rhyw ddeg munud o'r ysbyty o'n i, ond oedd o'n teimlo fath ag awr o siwrne, yn chware pob sin posib yn fy mhen, y daith hir trwy'r ysbyty, y bobol, y lifft a'r ward tuag at ddrws stafell Mam.

A dyna lle oedd hi'n eistedd yn edrych drwy'r ffenest, yn fregus ac yn bryderus i gyd. A 'nes i weld hi a nath hi weld fi, a nath y cwestiyne a'r pryder i gyd ddiflannu. Jyst Mam a fi oedd o, jyst gwallt oedd o. Doedd dim angen deud unrhyw beth. *We could do this. We will do this.* A mi nathon ni. Brwsio'r gwallt off i gyd ac ar y llawr. Gathon ni laff. 'Lle dwi'n mynd i roi o, Mam?' (*Stupid question.*) 'Yn y bin.' Roedd o'n teimlo fel *full circle*. Roedd Mam wedi rhoi gofal tebyg i hyn i bobol eraill drwy gydol ei bywyd. O'n i'n gallu teimlo mor anodd oedd o iddi dderbyn gofal, yn enwedig gan fabi'r teulu, ond o'n i hefyd mor MOR falch bo fi'n cael y cyfle i fod yna iddi a rhoi'r un gofal di-ffws, *calm* ac ysgafn o'n i wedi ei gwylio hi'n ei roi mor dda i bobol eraill gymaint o weithie. Ges i'r *training* gore ar gyfer y bore yna.

Dyna 'sen i'n deud wrth unrhyw un sydd falle'n mynd trwy rywbeth tebyg. Falle eich bod chi'n meddwl eich bod chi methu neud y cam nesa, ond mi newch chi. Aeth y salwch ymlaen am ddeg mlynedd nes i fi gael galwad ffôn arall gan fy chwaer, 'mae'n amser i ti ddod, dwi'n meddwl.' Erbyn hyn o'n i'n byw yn Sir Benfro, rhyw dair awr a hanner o dŷ Mam a Dad. Roedd Mam wedi bod adre ers sbel gyda Dad a nyrsys Macmillan yn gofalu amdani.

'OK, faint o amser sy gen i?' medde fi.

'Mam, mae Non yn gofyn faint o amser sy gen hi.'

Mam yn y cefndir yn rili eitha sarcastic.

'Dwi'm yn gwybod, ydw i?!'

Clasic Mam, ond *fair enough*, oedd o yn gwestiwn rili stiwpid ond o'n i ddim 'di neud hyn o'r blaen. Roedd Iwan i ffwrdd yn ffilmio ac roedd y plant yn yr ysgol. Eto, yn debyg i pan ges i'r alwad ffôn amdani'n colli ei gwallt roedd tua deg eiliad o 'DWI DDIM YN GALLU!!!'

a wedyn jyst pacio, nôl y plant a dreifio adre at Mam. Erbyn i fi gyrraedd oedd fy mrawd a'i ddwy ferch yna gyda'n chwaer a'i phlant hi, a Dad wrth gwrs, ac oedd Mam yn cysgu. 'Nes i fynd i orwedd ar y gwely efo hi. 'Nes i ddim ei gweld hi'n effro eto. Tra o'n i'n siarad efo hi oedd hi'n neud synau bach bob hyn a hyn fel 'sa hi'n trio ateb, neu falle mai fi sy'n licio meddwl hynna. Aeth rhyw bedair awr heibio, Nia, Dil, Dad a finne yn y stafell efo hi, yn siarad a siarad a sŵn lyfli'r plant yn chware lawr grisiau. Dwi'n rili gobeithio'i bod hi'n gallu clywed hynna i gyd. Pawb o'i chwmpas hi. Normal. Pawb adre. Cyrhaeddodd Iwan jyst cyn iddi fynd, falle'i bod hi'n aros amdano fo. Roedd hi'n licio fo lot rili! A wedyn nath hi ddechre anadlu'n wahanol, oedd y doctor wedi deud y bysa hi tua'r diwedd, a nathon ni i gyd beilio ar y gwely i afael ynddi. Nes iddi fynd. Gyda sŵn y plant yn dal i chware lawr grisiau.

Dudodd Dad fod dim brys i ffonio'r doctor na'r ymgymerwr, felly 'nes i orwedd efo hi ar y gwely am awr arall.

Galar

Dan ni'n deall bod galar yn wahanol i bawb... yn tydan ni? Dwi'n licio meddwl ein bod ni, ond mae o dal i fod yn anodd iawn i'r person sy'n galaru i deimlo'n OK i neud hynny yn ei ffordd ei hun. Dwi'n gwybod o'n i'n teimlo fel yna ar ôl colli Mam, a dwi'n dal i neud rŵan.

Weithie bydda i'n darllen neu glywed am brofiadau pobol eraill o golli rhywun a bydda i'n meddwl, 'do'n i ddim yn teimlo fel yna... 'nes i neud o'n rong?' Does neb sy'n cael ei effeithio gan gancr yn lwcus ond oeddan ni fel teulu'n teimlo'n lwcus ein bod ni 'di cael y cyfle i siarad efo Mam a deud a gneud popeth oeddan ni angen ei neud cyn iddi fynd. Felly falle oedd o'n haws i fi? Falle o'n i'n barod? Na. Chi byth yn barod i ddeud ta-ra. Dwi 'di teimlo'n euog a conffiwsd am pa mor 'OK' o'n i pan nathon ni ei cholli hi. Wrth gwrs o'n i'n *gutted*. Hollol *gutted*. O'n i isio'i chadw hi am byth. Mam fi oedd hi. A dwi isio hi 'nôl pob dydd. Ond do'n i ddim yn cael cadw hi. Does neb yn cael cadw pawb am byth. O'n i'n deall hynny. Be dwi'n cofio o'r wythnos/pythefnos ar ôl iddi fynd oedd tristwch masif, ond tristwch o'n i'n deall. Yn wahanol i'r cyfnodau tywyll dwi 'di methu esbonio drost y blynyddoedd, o'n i'n deall pam o'n i'n teimlo'n *shit* rŵan. Dyma'r unig gyfnod pan o'n i bron iawn yn ddiolchgar am fod wedi profi salwch meddwl. (A dwi'n teimlo'n euog am hynna hefyd. Mae lot o euogrwydd yn dod yn sgil galar.)

Ond oedd o 'di dysgu'r gwahaniaeth i fi rhwng teimlo dim byd a theimlo. Sneb isio teimlo'r tristwch sy'n dod efo colli rhywun ond mae'n bwysig i actiwali gwerthfawrogi pam dach chi'n teimlo fel yna. Dach chi'n teimlo fel yna achos oeddach chi'n caru rhywun. Mae tristwch yn bwysig, mae tristwch yn dda. Mae cydnabod hynna i fi fel 'ffyc iw' i iselder hefyd. Achos 'di iselder ddim yn neud i fi deimlo'n drist, mae'n neud i fi deimlo dim. Felly ti ddim yn meddwl unrhyw beth i fi, Mr Iselder. Mae pethe sy'n bwysig i fi yn creu emosiwn, tristwch, hapusrwydd, *rage*. Ti ddim digon pwysig, iselder. A dwi hefyd yn teimlo'n wael bo fi'n siarad am iselder wrth siarad am golli Mam, ond weithie dwi'n meddwl ei fod o'n help i bobol sydd ddim wedi diodde o iselder i ddeall nad ydi o ddim yn teimlo fel tristwch, na hyd yn oed galar. Mae o yn ei *league* bach crapi ei hun.

Ond, ydan, dan ni'n dal i boeni os ydan ni'n galaru yn y ffordd iawn. Ac wrth gwrs, does dim ffordd iawn. Dwi dal yn wyndro os dwi wedi gorffen galaru. Ond dwi'n trio deud wrth 'yn hun bod be bynnag dwi'n teimlo, neu ddim yn teimlo, yn OK.

Mae'n anodd gwybod be i'w ddeud wrth rywun ar ôl colled a sut i fihafio. Dwi'n gwybod dwi 'di bod yn eitha hôples yn y gorffennol. Falle bo fi dal yn hôples rŵan, achos mae pawb sy'n colli rhywun yn teimlo'n wahanol, hyd yn oed o fewn yr un teulu, felly does dim *one size fits all* o ran ymateb na chysur. Falle y peth pwysica yw gadael i'r person sy'n galaru siarad, heb drio'n rhy galed i neud pethe'n iawn neu ddeud y peth iawn, jyst bod yna yn y *shit* efo nhw. Roedd hynna'n ddigon i fi.

Cwpwl o ddyddie ar ôl i Mam farw nath Steff ffonio i weld os o'n i'n OK a 'nes i ddeud wrtho bo fi'n poeni bod pobol yn meddwl bo fi ddim yn crio digon ac yn meddwl bo fi'n robot, a nath Steff jyst ddeud,

'Dwi'n licio robots.'

Hands down y peth gore bysa unrhyw un wedi gallu deud.

Dwi'n teimlo'n wael yn aml am y ffordd dwi wedi galaru ers colli Mam, yn poeni ydw i 'di neud o'n iawn, ond dwi'n meddwl i fi dderbyn bo fi'n fwy OK nag o'n i'n disgwyl achos dwi'n *genuinely* teimlo'i bod hi dal efo fi. Falle bo fi'n lwcus ein bod ni mor agos. Mae hi jyst yndda i. Mae fy myd i 'di newid ers i Mam fynd. Mae deffinet gwahaniaeth rhwng bywyd cyn ac ar ôl Mam, mae'r teulu'n wahanol rŵan. Yn wahanol ond yn hapus hefyd. Ac mae hynna'n OK. Dan ni'n cael bod yn hapus a'i methu hi yr un pryd.

Paid â Bod Ofn 2

Dwi'n meddwl ei fod o'n deg i ddeud drost y dair ohonon ni ein bod ni 'di canu 'Paid â Bod Ofn' gymaint o weithie drost y blynyddoedd nes ei bod hi'n hawdd iawn i fynd ar ryw fath o awtopeilot wrth gyrraedd y gân yna ar y set list. Dim ein bod ni ddim yn caru'r gân, ein babi cynta ni 'di'r gân yna a mae arnon ni lot i'r tiwn, ond fel dwi'n deud, honna 'di'r un mae pobol yn cyfeirio ati yn amlach nag unrhyw un o ganeuon eraill Eden. A dyna pam yn 2019 'nes i benderfynu defnyddio teitl y gân fel teitl i'r blog 'nes i sgwennu i meddwl.org. O'n i'n cael fy adnabod fel yr hogan sy'n canu 'Paid â Bod Ofn' mwy nag unrhyw beth arall, ac wrth i fi ddechre sgwennu'r blog nath yr eironi bo fi actiwali ofn LOT o bethe fy nharo fi.

O'r ymateb anhygoel ges i gan bobol oedd isio rhannu profiadau tebyg i'r rhai o'n i 'di'u rhannu yn y blog daeth y syniad i greu crysau T 'Paid â Bod Ofn' i helpu i gasglu arian i gyfrannu at y gwaith anhygoel a phwysig mae tîm Meddwl yn neud, ond hefyd i ledaenu'r neges i beidio bod ofn na theimlo'n unig am broblemau iechyd meddwl ac i beidio bod ofn siarad amdanyn nhw. Felly yn eitha naïf aeth Rach, Emma a fi ati i greu'r crysau T, i'w hysbysebu nhw a chymryd yr archebion trwy negeseuon personol ar ein cyfryngau cymdeithasol!

Unwaith eto doeddan ni ddim 'di disgwyl yr ymateb gafon ni o ran niferoedd. Roedd hi'n anhygoel i weld y cyfanswm yn codi gyda phob gwerthiant, ac yn bwysicach, doeddan ni ddim 'di disgwyl y negeseuon. Gyda phob archeb roedd stori, rheswm pam oedd y person yna isio cefnogi. Pobol oedd wedi diodde o anhwylder meddwl eu hunain, neu oedd yn byw gyda rhywun oedd yn diodde, neu yn ffrind i rywun. Neges ar ôl neges yn rhannu profiadau personol, weithie trist ond hefyd mor *life-affirming*, bod pobol isio dangos eu cefnogaeth, a dangos eu bregusrwydd er mwyn helpu eraill. Anhygoel. Ac felly erbyn i ni gyrraedd cae Steddfod Llanrwst i berfformio yn y Pafiliwn roedd o'n ANHYGOEL o emosiynol i weld cannoedd o grysau 'Paid â Bod Ofn' o'n blaenau ni, ac yn crwydro'r Maes. Doeddwn i yn bersonol ddim yn teimlo'n unig rhagor, a dwi'n rili gobeithio bod pobol eraill wedi teimlo 'run fath â fi. Felly ers hynna mae 'Paid â Bod Ofn' wedi cymryd ystyr newydd i'r dair ohonon ni ac i bobol eraill, gobeithio.

Craith Kitty

Mae gan Kitty graith o dan ei llygad chwith ers iddi syrthio ar step yn dair oed. Pan oedd hi tua wyth oed roedd rhaid iddi wisgo fel môr-leidr ar gyfer rhywbeth yn yr ysgol. A finne wastad yn caru ei gwisgo hi fyny 'nes i sianelu Jack Sparrow trwy roi *eyeliner* arni. A wedyn aeth hi off efo'r colur a dod 'nôl gyda'r graith wedi'i lliwio mewn gyda phensil tywyll yn deud, 'o'n i'n meddwl bysa fo'n cŵl i neud hwn yn fwy amlwg'. Ac o'n i'n rili falch ohoni hi, *obvs*, achos oedd hi 'di meddwl am sut i neud rhywbeth yn fwy cŵl (wastad ar y *priority list* efo fi) ond hefyd o'n i'n rili drist achos y foment yna 'nes i sylweddoli bod Kitty ddim yn embarasd o'r graith, a ddim yn gweld ei bod hi'n beth i'w guddio. Ac o'n i'n gwybod rhyw ddydd y bysa rhywun stiwpid neu ryw hysbyseb gan gwmni cosmetics yn rhywle yn trio neud iddi deimlo'n wael am y graith. Mae ein croen ni'n anhygoel, mae'n tyfu, stretsio, yn trwsio'i hun er mwyn ein cadw ni'n OK. Dim ein job na'n problem ni na'n croen ni yw bod yn berffaith, problem y cwmnïau cosmetics ydi hi, er mwyn i ni ddal ati i lyncu'r celwydd. So be am i ni stopio? Diolch, Kitty, ti wastad yn ysbrydoliaeth.

Heneiddio

Dwi 'di teimlo bo fi ddim yn cael heneiddio ers o'n i'n tua 11 oed pan ges i wahoddiad i rywbeth tebyg i *Avon party* efo Mam a naeth y lêdis i gyd ddeud, 'Keep piling this cream on from now on, you don't want to end up old like us. It's too late for us really.' Dwi'n gesio oeddan nhw tua'r un oedran â dwi rŵan. *TOO LATE?!!!* NAAAAAAAA. *No way, not having that.* Dwi 'di bod yn greulon efo fi'n hun a chosbi'n hun am lot o bethe drost y blynyddoedd ond dwi rili ddim yn mynd i ffrîcio allan am heneiddio, achos *guess* be? Dim fi nath greu'r syniad ridiciwlys 'ma bod ni ddim yn cael edrych yn hŷn na tua 25... BE? OND DAN NI I GYD YN HENEIDDIO!! 'Nes i ddim chwaith greu'r syniad 'ma bod ein gwerth ni'n cael ei fesur yn ôl sut dan ni'n edrych, ac edrych yn ifanc aparentli sy'n ennill. Dwi ddim yn seinio fyny i'r clwb yna.

Dwi isio heneiddio yn osgeiddig, yn realistig, yn hapus ac yn falch. Yn falch achos dwi dal yn fyw *for starters*, dwi byth yn un o'r rheina sy'n mynd '*ooooh naaaa, dwi'n 40... it's all over*'. Hel, na, DWI'N BEDWAR DEG A DWI DAL YMA!! *AMAZIIIIIIING!!* Dwi'n croesawu pob blwyddyn a dwi isio caru pob cyfnod, yn cynnwys yr un dwi'n byw drwyddo. Mae'n teimlo'n lyfli i fod yn agos at 50. Mae'r plant wedi tyfu, maen nhw'n troi mewn i bobol dwi isio i'r byd nabod achos dwi wedi rili enjoio nhw ac yn dal i neud. Dwi ddim chwaith y fam yna sy'n deud, '*ooooh*, lle mae babi bach fi wedi mynd?' Oeddan nhw'n lyfli yn fabis ac maen nhw'n lyfli rŵan (*plus* mae rhai'n gallu dreifio sy'n riiiiiili handi ac maen nhw'n golchi eu hunain… *what's not to love about this age?*). Yn fwy na jyst derbyn heneiddio, dylen ni i gyd wahodd heneiddio yn lle paffio yn ei erbyn achos mae'n hollol *pointless* ac yn wastraff llwyr o'n hapusrwydd ni. OND peidiwch â chael fi'n rong, dwi'n rili licio prynu crîms lyfli a moisturisio a gwisgo *face masks* a cholur ond dwi ddim yn neud hynna er mwyn cosbi na chuddio 'nghroen, dwi'n neud o achos mae'n teimlo'n rili lyfli ac mae ogla neis i'r crîms. A dwi ddim yn bwriadu siopa yn ecsgliwsif o'r *Country Catalogue*, 'for mature ladies', chwaith na stopio lliwio fy ngwallt. Dwi 'di bod yn lliwio fy ngwallt ers o'n i'n tua 14, *this is me*.

Mae dillad yn fy neud i'n rili hapus a 'sa'n well gen i feddwl bod pobol yn deud, 'Be *the hell* mae Non yn gwisgo?' na pheidio sylwi ar be dwi'n wisgo. Dillad fi sy'n deud wrth bobol pwy ydw i, wastad wedi. Mae dillad yn safio fi drio esbonio bo fi actiwali yn lot o hwyl, dwi jyst ddim yn ddigon hyderus i ddangos i chi. Heb ddillad dwi'n meddwl byswn i'n hawdd yn gallu bod yn anweledig a dwi'n meddwl bo fi 'di defnyddio dillad yn lle'n llais i ers dwi'n cofio. Ac yn aml iawn dan ni'n teimlo'n euog neu'n arwynebol am garu dillad a gwario arian ar ddillad… pam? 'Di adar ddim yn embarasd eu bod nhw'n licio eu plu ffansi nhw, dyna'u pwrpas nhw… 'drycha arna i… *fabulous, am I right*?!' A pan dwi ddim yn teimlo'n *fabulous*, na hyd yn oed yn *human*, mae dillad wastad yn edrych ar fy ôl i. *They've got my back*, yn enwedig sgidie – 'teimlo'n *shit*, Non? Paid â poeni, gad heddiw i ni,' medde'r sgidie sbarcli. Mae gan bâr o socs ciwt y pŵer i neud fi'n RILI hapus.

A pheidiwch ag aros i'ch corff edrych fel corff rhywun arall cyn i chi wisgo'r bicini, ffroc, siwt, siorts, leotard *leopard print* yna dach chi wastad wedi'i ffansïo... mae'n cyrff ni i gyd yn haeddu gwisgo'r dillad briliant dach chi RILI isio eu gwisgo. Dwi 'di treulio blynyddoedd yn trio shêmio fy nghorff i fersiwn dwi'n hapus efo fo a nath o ddim gweithio. Nes i fi stopio trio'i newid o. A dwi 'di penderfynu bod y corff 'ma wedi gweithio mor galed i gadw fi'n fyw fel ei fod o'n haeddu gwisgo'r sbarcls i gyd, sdim ots pa oed dwi.

Cyn i fi fynd

Dwi 'di siarad LOT, yn do? Ond mi 'nes i'ch paratoi chi yn y cyflwyniad am y ffaith bo fi'n dueddol o or-rannu. *Nailed that*. Mae'n anodd gwybod sut i rapio hyn i fyny ond dwi wastad wedi bod yn ffan o ddull 'be 'nes i ddysgu' Jerry Springer.

Wel, dwi 'di siarad lot am y pethe dwi'n neud sy'n fy nghadw i'n ddigon hapus ond dwi ddim isio i chi orffen y llyfr yma'n meddwl bod rhaid trio neud POPETH pob dydd, achos dwi ddim. Tra'ch bod chi'n darllen hwn, falle eich bod chi'n fy nychmygu i'n neud ioga mewn stafell yn llawn o ganhwylle lyfli, neu'n hygio fy hoff goeden, ond mwy na thebyg dwi'n casglu mygs *disgusting* o stafelloedd yr hogiau neu'n gwylio *Sex and the City the Movie* ETO.

Y pwynt yw mae'n anghenion ni i gyd yn newid o ddydd i ddydd: pwysau gwaith, y math o gwsg dan ni 'di cael, ffrae efo partner neu ffrind neu blentyn, yfed gormod o goffi, dim digon o ddŵr, mae pob un o'r pethe bach 'ma'n gallu cael effaith ar sut dan ni'n teimlo. Byddwch yn garedig efo chi'ch hun. Mae'n afrealistig ac angharedig i ddisgwyl ein bod ni'n mynd i deimlo'n briliant neu hyd yn oed yr un fath pob dydd. Ac mae o hefyd yn ormod i ddisgwyl i ni meditetio neu redeg 5K a neud rhestr o bethe dan ni'n ddiolchgar amdanyn nhw cyn gwely POB nos. Cwbwl dan ni rili angen neud ydi gwrando ar ein corff a'n meddwl a neud cwpwl o bethe pob dydd sy'n mynd i neud pethe'n well. Falle gadael y ddesg amser cinio a mynd am dro, falle gorwedd ar y soffa. Falle siarad efo ffrind, falle peidio siarad efo unrhyw un. Falle yfed mwy o ddŵr, falle byta cacen. Dwi'n teimlo fath ag absoliwt nob yn deud, 'gofynnwch i chi'ch hun sut dach chi'n teimlo a pham a be dach chi angen', ond mae'n WIR! Dan ni'n neud o i bobol eraill dan ni'n eu caru, a weithie i bobol dan ni ddim! 'Ti isio bwyd? Dyma ti!' 'Ti 'di blino? Cer i gael rest!' 'Ti isio mynd am dro? C'mon, 'ta!' 'Ti isio mynd i'r parti? Dim rili? OK, aros adre!' Mae o mor syml â hynna a dan ni'n CAEL deud y pethe yna wrthon ni'n hunain ac edrych ar ôl ein hunain.

Dwi ddim yn mynd i barhau i gymharu'n hun efo pobol eraill achos dan ni ddim yma yn ddigon hir, a bydda i wedi gwastraffu bywyd Non druan wrth aros i droi fewn i rywun arall, sy'n trio bod mwy fel rhywun arall ac yn y blaen... *POINTLESS* a RILI trist achos mae Non yn OK.

Nath o gymryd amser i fi sylweddoli nad oedd rhaid i fi dderbyn pob beirniadaeth am sut dwi'n edrych neu ymddwyn neu fyw. Am flynyddoedd o'n i'n camgymryd beirniadaeth am gyngor ar sut i newid fi fy hun gan obeithio bysa hynna'n plesio pwy bynnag oedd efo'r broblem. 'Sen i'n gallu trafeilio 'nôl mewn amser 'sen i'n ffrind lot gwell i fi fy hun ac yn deud wrthi ei bod hi'n rili OK. Dwi 'di dod i ddeall fedra i ddim rheoli beth mae pobol eraill yn meddwl ohona i ond dwi yn medru rheoli be dwi'n meddwl ohona i a sut dwi'n siarad efo fi'n hun.

Mae pawb yn fregus, mae pawb yn neud camgymeriadau, mae pawb yn wynebu cyfnodau rili anodd weithie. Cymerwch amser i sylwi ar yr eiliadau yna pan dach chi'n dangos dewrder ac i'w gwerthfawrogi.

Pob tro dan ni'n trio rhywbeth newydd, gadael rhywbeth i fynd, gosod ffiniau newydd, cadw at ein gwerthoedd, neud pethe y ffordd sy'n iawn i ni... dawnsio o flaen pobol!... mae hynna'n dangos dewrder. Dan ni'n ddewr.

Mae bod yn agored ac onest a charu ni'n hunain yn gallu teimlo'n rili *awkward* a *weird* ar y cychwyn. Fel rhedeg neu godi pwysau mae'n cymryd amser i gryfhau'r cyhyrau newydd 'ma

Ond mae'n dod yn haws. Ac mae pobol yn teimlo'n lot gwell yng nghwmni pobol onest a bregus achos mae'n caniatáu iddyn nhw fod 'run peth ac i deimlo'n llai unig neu *weird*. Mae'n hiwj cysur. A pheidiwch â theimlo'n wael am ofyn am help gyda'ch iechyd meddwl. Dwi 'di neud hynna digon o weithie achos do'n i ddim isio achosi trafferth i ffrindie neu deulu mewn cyfnod gwael, ond rŵan dwi'n trio atgoffa'n hun pa mor LYFLI a breintiedig mae'n teimlo pan mae rhywun yn gofyn i fi am help. Mae'n gymaint o gompliment, felly cofiwch hynna tro nesa dach chi'n meddwl eich bod chi'n niwsans neu'n faich. Mae pobol yn licio helpu.

Tan gwpwl o flynyddoedd yn ôl o'n i'n dal i gredu barn a chredoau pobol eraill amdana i: Non y ddamwain, neu Non y siom (dim ond rŵan dwi'n sylweddoli bod hwnna'n odli. DIOLCH BYTH!!). Ond eu stori nhw oedd hynna, a gawn nhw ei chadw hi achos dwi ddim yn credu'r stori yna bellach.

Dyma fy stori i. A doeddwn i ddim yn gwerthfawrogi bod y prif gymeriad yma.

Yn fwy na chymwys.

Yn fedrus iawn pan mae'n dod at wella ac adeiladu'n hun 'nôl eto.

Yn rili dda pan mae'n dod at ffeindio 'chydig mwy o nerth o rywle mewn cyfnod tywyll.

Yn syrpréis nid damwain.

Ddim yn siom i unrhyw un sy'n bwysig.

Dim angen bod yn fwy.

Dim angen bod yn llai.

Dwi'n ddigon.

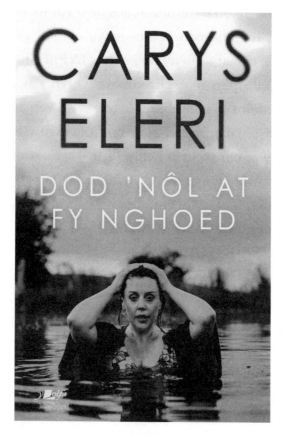

CARYS
ELERI

DOD 'NÔL AT
FY NGHOED

£9.99

Datod

Profiadau unigolion o ddementia

Golygydd
Beti George

£8.99

Holwch am bris argraffu!
www.ylolfa.com